GRANDES ESCRITORES CONTEMPORANEOS

Colección dirigida por

Luis de Castresana

y

José Gerardo Manrique de Lar

MAURO MUÑIZ

LARRA

EPESA

Esta edición es propiedad
de EPESA. Ediciones y Publicaciones Españolas, S. A.

Oñate, 15 - Madrid - 20

Número de Registro: 8.687 - 69
Depósito Legal: M. 19.316 - 1969

Impreso en España por AGISA.
Tomás Bretón, 51. Teléf. 228 67 28. Madrid-7.

«*Escribir como escribimos en Madrid es
tomar una apuntación, es escribir en un libro
de memorias, es realizar un monólogo deses-
perante y triste para uno solo. Escribir en
Madrid es llorar, es buscar voz sin encon-
trarla, como una pesadilla abrumadora y violenta. Porque no escribe uno siquiera para los
suyos ¿Quiénes son los suyos? ¿Quién oye
aquí? ¿Son las academias, son los círculos
literarios, son los corrillos noticieros de la
Puerta del Sol, son las mesas de los cafés,
son las divisiones expedicionarias, son las
pandillas de Gómez, son los que despojan o
son los despojados?*»

(LARRA, *Horas de invierno*, Madrid, 1836.)

«*Al pasar por la noche de Madrid pasamos
aún por la que pasó Fígaro, y sentimos a
veces, frente a ese miedo a la pasión que
siente esta sociedad pusilánime, la misma
nostalgia del suicidio. Política, arte, trato de
gentes, corazón de mujer, todo es lo mismo
que entonces, todo es sombrío, mezquino, for-
mulista, nada generoso.*»

(RAMÓN GÓMEZ DE LA SERNA, en su libro
Pombo, brindis en el homenaje a Larra
en 1909.)

LARRA, HOY

Larra es un escritor de hoy. Es obvio que hay
escritores de ayer, de otro tiempo, que están
en el nuestro, que muerden y dan sentido a
nuestra vida colectiva de alguna manera, y que
hay otros que, estando vivos ahora, están muertos porque pertenecen al pasado y son como
momias redivivas, lo cual, por otra parte, ha
ocurrido siempre. Por eso, decir de un escritor
que «está vivo» no es decir nada —o es decir
un manoseado tópico aplicado en todas las biografías de escritores— si no se aclara al tiempo
qué es eso de estar vivo. Larra está ahí, sentado,
en el café, en la plaza, con el marqués o los
postigones, o en el Parlamento, o saludando al
paso de la Reina, o en la ventanilla de una
oficina del Gobierno, y estando así, en su tiempo, está en el mío. Larra rige acusativo. Es

un revulsivo: puede insultarme, rebelarme, activarme como hombre y español, interviniendo en mi conciencia, comprometiéndome con algunos problemas. Es un escritor de hoy.

Para entendernos en un lenguaje convencional que usamos en la vida española, y sin que ello establezca ningún tipo de valoración ética, Larra es un escritor de izquierdas.

Presentarlo vivo, por otra parte, no es nuevo. Es más, es viejo. Lo vienen haciendo todas las generaciones literarias más o menos responsables. Los del Noventa y Ocho le reservaban plato y mantel en los banquetes, e incluso los más atrevidos le saludaban al pasar. «¿Qué tal está usted, señor Larra? ¿Cómo ve España?» El les contestaba en silencio, mirándolos con sus ojos grandes y tristes, donde moraba, según Menéndez y Pelayo, la amargura y la pasión de sí mismo, pensando quizá: «¿Y con esta patulea piensa salvarse el país?» «En la tarde del 13 de febrero de 1901 —escribe Azorín (1)—, un grupo de jóvenes se dirigía por la calle de Alcalá abajo, desde la Puerta del Sol, en dirección a Atocha. Vestían estos mozos trajes de luto; iban cubiertos con sombreros de copa; llevaban en las manos ramitos de violetas. El sombrero de algunos de estos jóvenes era de ala plana, recta; una larga melena bajaba casi hasta los hombros; el cuello iba rodeado de una triple vuelta de una negra corbata. Diríase una típica figura de un cuadro de Esquivel. Estos mucha-

_____
(1) *Rivas y Larra*, Espasa Calpe, 1957, pág. 131.

8

chos se encaminaban hacia el cementerio de San Nicolás, donde estaba enterrado Fígaro. Llegados ante la tumba del escritor, depositaron en ella los ramitos de violetas, y uno de los jóvenes leyó un breve discurso, en el que se enaltecía la memoria de Larra. «Maestro de la presente juventud es Mariano José de Larra.» La juventud de que aquí se habla es la que luego ha sido llamada generación de 1898.»

Pasan los años y Larra sigue en pie. En 1909 asiste, pulcramente vestido, el 24 de marzo, al banquete que en los altos de Fornos dan los «pombianos» en su honor y con el que inician la serie de sus homenajes literarios famosos. «Alrededor de una larga mesa —cuenta Ramón Gómez de la Serna (1)— se sentaron más de cien comensales. En la presidencia había un cubierto preparado para Fígaro, y sólo algún necio hubiera dicho que estaba vacío el sitio. A la derecha estaba sentada «Colombine», vestida de seda negra, pálida, por la emoción de estar al lado del muerto ilustre; Ramón Gómez de la Serna estaba a la izquierda del homenajeado y trazaba a Fígaro, en voz baja, la silueta de los que estaban sentados a su alrededor, no olvidándose de hacer los honores de la mesa a «Colombine», cuidando, al alargarle los entremeses, de no pasar el brazo descortésmente por delante de Fígaro.» En aquella ocasión se le dijo que todos estaban cerca de su tiempo:

_____

(1) *Pombo*, Editorial Juventud, 1960.

«Las costumbres y el alma de las gentes son tan apocadas, tan angostas y todo está cercado tan a piedra y lodo como entonces; la misma incomprensión impermeabiliza las fachadas y hace impenetrables los ojos.»

Larra, vivo. Muerte que da razón de vida. Larra «contra», de Unamuno, de Valle-Inclán, de la antirrutina, el sarcasmo, la frustración, el pesimismo, la incapacidad nacional, la desidia. Larra, hoy. Es quizá el único escritor nacional al que no le podemos decir: vuelva usted mañana. Es una vigencia. Un acusativo. Una sombra. Un escritor al costado. Con una vigencia que no es sólo ni excluye las exhumaciones continuas y folklóricas que se hacen de su figura, de su tiempo personal, su dandysmo y su pateticidad. Con una vigencia, hoy más que nunca, que va más allá, profunda y real, de estas cosas. Larra, escritor de la soledad y el aislamiento, solo frente a su época y su sociedad, según Juan Goytisolo, nunca ha tenido tanto público como en este tiempo.

Pero ¿por qué está vivo Larra? ¿Permanece y es hoy porque se adelantó a su tiempo o simplemente porque, dentro de sus ideas y denuncias conscientes, España, en cierto modo, ha permanecido inmóvil desde entonces? ¿Está parida la juventud de Larra por la vejez de nuestros esquemas mentales? ¿Está Larra en nuestro mundo de hoy o nosotros en el ayer de Larra, del que apenas el ruido de los coches y la vivacidad de las hormigoneras pueden sacarnos cada mañana? ¿Estamos en la España que aún busca su ser histórico, su destino europeo, entre el run-run de los cortesanos y la baraúnda de los traficantes, de las camarillas, instituciones estrechas, el «vuelva usted mañana» y el lloremos y traduzcamos? Contra su afirmación de que en España no pasa nunca nada (porque es ella la que suele pasar por todo) habría que decir que, por el contrario, ¡cuántos años y cuántas muertes y guerras han ocurrido! Sin embargo, ¿quién se atrevería a rechazar por viejo el ideárium de Larra cuando tantos y tantos estarían dispuestos todavía ahora a llevarlo codo con codo?

La capacidad de denuncia de la obra de Larra debe ser medida en contraste con nuestro tiempo, no con el suyo. Pero cualquiera que sea el resultado de esta experiencia, que brindo a mis lectores, no cabe duda de que Larra *sigue vivo.* Permanente. La actitud de Larra, Larra como rebeldía, al margen de la vitalidad de su obra, es lo que nos sobrecoge. Quiero llamar la atención sobre la fuerza de atracción que tiene para los jóvenes este sentido protestatario y rebelde de la vida del escritor. De vez en cuando, en Madrid, un grupo de escritores jóvenes, unos actores, algún periodista, se acercan a la tumba de Larra, como en homenaje. Siguen la tradición. Si habláis con ellos os dirán que Larra es un héroe, una vida al límite, en conflicto, un mártir. Es, en el último tercio del siglo veinte, una posición romántica, en lo que el romanticismo tiene de revolución, de rotura y contrariedad. Sin más análisis, los jóvenes instalan, de alguna manera, a Larra en su corazón. Larra es una forma de protesta. Cualquier día, cualquiera de ellos, se pega un tiro. Eso es peligroso.

A veces, planteándome en vivo estos temas, me he preguntado, nos hemos preguntado, qué es lo que nos interesa realmente de Larra: su vida o su obra. Creo que en este caso, como en algunos otros grandes tipos de nuestra España airada, la vida no es un antecedente de la obra, sino una consecuencia, al revés de lo que propone Baroja para explicar la literatura. La literatura, suele decir, es una consecuencia, el algo después del escritor. Larra es inverso. Su vida comienza con su muerte, a la que le conducen sus escritos; su vida es un producto de su obra. Larra es la consecuencia de su actitud frente a España y su tiempo: no se puede regresar, desamordazar e intentar comprender la sonrisa de su calavera, sin antes haber leído las cuartillas que el cadáver tiene bajo el brazo. Lo que ocurre es que ante el fenómeno Larra se han mantenido dos actitudes pacatas y encubridoras: una, la más cercana a la pedagogía literaria habitual que soportamos, que cubre púdicamente al muerto, pensando en la inmoralidad del suicidio y que tal espectáculo no es apto para menores. Yo protesto de este rapto de Larra, de este asesinato que se añade a su suicidio, de los textos literarios al uso. A Larra nos lo explican, fugazmente, como un escritor de artículos costumbristas que, llevado por su mala vida, se pega un día un tiro frente a un espejo. Y *nada más*. La otra versión encaja dentro del esquema de la literatura amarilla: es la delectación, el folklore melodramático, del pistoletazo. La importancia de Larra, según esto, es el cierre trágico de su vida, la muerte como suceso rentable literariamente, la versión negra de un Larra neurasténico que va dando tumbos, a caballo de la lujuria y la soledad, hasta la tumba. Y *nada más*.

Urge rescatar a Larra de estos límites. Verle de cerca, escudriñarle. Si está maldito, que su maldición caiga sobre nuestras cabezas. Efectivamente, hay una repudiación general del suicidio. Un suicida es una especie de detonador que pone en marcha una descarga múltiple. Recuérdese el caso de las «antorchas humanas», que en distintas partes del mundo siguieron el ejemplo de los bonzos del Vietnam, autoquemados en las calles como protesta. Lo que se olvida en estos casos son las razones de la misma protesta. No se suele explicar que los que imitan al suicida por alguna razón, y de alguna manera, llevaban ya dentro la angustia, la desesperación y la muerte.

No me atrae el suicidio de Larra, aunque he pasado algunas horas ante la vitrina que, en el Museo Romántico de Madrid, exhibe su pistola. No me atrae su suicidio, pero Larra se suicidó. Era un escritor, un español, tenía sus razones de vida y muerte. Yo quiero saber. Enterarme bien si su acto último fue personal y gratuito, estrictamente íntimo, y sus razones tendría, o si, como dice Francisco Umbral, «la sociedad le pone la pistola en la mano».

Pero es que, además, hay un Larra satírico, político, humorista, teatral, dandy, cortesano, mesocrático, viajero, romántico, crítico, costumbrista. Hay una pasión española, una teoría de la vanidad, una visión de Castilla, una revolución periodística, una actitud literaria, en *el todo* de Larra. Es lo que debemos rescatar, para clarificar el ser de nuestro país. A esa intención responde la revisión de Larra, que ya desde algunos ángulos y frentes se está llevando a cabo en estos momentos. Se publican ensayos, biografías, fragmentos de sus obras, interpretaciones. Una de las más lúcidas —quizá, a mi juicio, la más valiente y penetrante de las que hasta hoy han aparecido— es la de Francisco Umbral, titulada «Larra. Anatomía de un dandy». Remito al lector a esta obra como a un texto fundamental sobre Larra.

Aunque dentro de esta maniobra, más o menos consciente, de la ocultación de Larra, se ha hecho siempre hincapié en su condición de escritor «costumbrista», atrae, sobre todo, en estos momentos, lo que de política y político hay en su obra. A un conocido escritor político de hoy se le atribuye, precisamente por su posición polémica, la condición de Larra de nuestro tiempo. Interesa el Larra liberal y europeísta, la ideología frontal de Fígaro. Cualquier día le descubren los parlamentarios y le dejarán pronunciar el discurso que, como diputado fugaz y suspendido, nunca llegó a pronunciar, pero que indudablemente llevaba ya en los labios.

Este libro mío pretende contribuir a esta corriente de comunicación y diálogo con el Larra vivo. En estas páginas se le quiere vivir y se le mata más de una vez. Van los datos, las intenciones, las jorobas, los dicterios, los llantos, nunca los silencios de Larra. A veces la propia pasión colorea el reportaje. Pertenezco a una generación a la que, de vez en cuando, y sin que se le pase el grito del corazón a la mano, cree que hay que ir a la plaza mayor de cualquier pueblo a pegarse un tiro.

VIDA, MUERTES, DRAMA, PASION
Y ACUSACION DE LARRA

Todo escritor es un mundo, un ciclo. En Larra, entre su aurora y su crepúsculo, hay una vida, varias muertes, una pasión. Y lo que, definitivamente, le rubrica, una acusación. A los demás nos toca entender la medida de estas comunicaciones y entregas que se nos hacen. Creo que en Larra no hay nada separable de sus otras facetas. Se le puede hacer una disección, una anatomía, pero con el cuerpo presente. Como los ingredientes de una comida fuerte, no se puede dividir ni individualizar. Hay un magma en el fondo, en el que arde su obra, su vida, su protesta, todo se integra en un proceso de desesperación lenta, unánime, sistemática. El vino negro de España, el ardimiento de sus costumbres, del pueblo, de la política, la historia, la calle y la revolución, van, gradualmente, convirtiéndolo en un alcohólico. Borracho de España, Larra gasta todas sus energías en consumir hasta el último trago su pasión. La contumacia de Larra en ser español es asombrosa. Discute hasta el final, consigo mismo, en una polémica implacable. El espectáculo, tan frecuente entre nosotros, del español que habla solo, en una perpetua discusión consigo mismo, por las calles y los cafés, se da en Larra de manera permanente. Es su condición. Esta situación de autocrisis, de conflicto interior, se prolonga por años y paisajes. Larra no deja de discutir nunca; por eso no se puede separar la discusión, su propia vida, la obra que surge. Es todo. Cada día, como el poeta, va encontrándose más agujero, en aquella España que, como un tránsito más grande y cósmico del mismo Larra, está en permanente duelo consigo misma. El drama de Larra es el drama de España. No es, pues, su vida y su obra —como quiere Hemingway para el destino de todo escritor— un safari solitario. Tiene la compañía de los borrachos: su propia pesadilla, sus renuncias, sus protestas, en esa borrachera de beberse España que le preside. Aquel joven de ojos grandes y sombríos, dominado por la pasión de sí propio, tenía, en el fondo, la pasión de la colectividad, del destino de España. Entierra en cada artículo un epitafio dedicado a los demás. Larra es un escritor, en su aparente soledad, comunitario.

Hay que verlo, pues, en una trayectoria completa, de principio a fin, comprometido con las vicisitudes políticas, humanas, históricas de su España.

Naturalmente, la vida de Larra comienza con su muerte.

EL PISTOLETAZO

Larra se pega un tiro el 13 de febrero de 1837. Es lunes y Carnaval. Las máscaras y los juerguistas recorren las calles de Alcalá y el Prado. Larra está nervioso: tiene una cita, después de una larga separación, con su amante, en su casa. «Estoy aburrido y no puedo resistir a la calumnia», ha escrito en el mensaje de contestación al requerimiento de la dama. Espera. La casa se le echa encima y se lanza a la calle. La misma gente, el mismo ruido, la misma rutina, las mismas fondas, y carruajes, y jueces, y postigones de siempre. En los corros políticos se habla de una nueva constitución. El pueblo está intranquilo y nadie sabe si debajo del ropaje las máscaras llevan trabucos. Larra deambula por las calles. El protagonista de una novela (toda la muerte de Larra y grandes sucesos de su vida están entre la historia y la novela, la fantasía y la murmuración), le localiza cerca de la fonda Europa (1).

—¡Hola, Fígaro! —le dice—. ¡Esta mañana pasé por aquí y estabas en el mismo sitio!

—Sí, por cierto, y aún no me he movido de aquí.

—¿Pues qué has hecho tantas horas de plantón?

—Ya lo puedes ver; me dijeron esta mañana que la Dolores estaba en una tienda de enfrente y me espero hasta que la vea salir.

—Tú estás loco. Porque es imposible que esa mujer esté en la tienda desde esta mañana y porque, aun cuando estuviera, no debías esperar tanto tiempo llamando la atención de todo el barrio.

—Tienes razón. Además —añade—, ahora la voy a ver, porque la he pedido una cita y me ha prometido ir a mi casa esta noche a las ocho.

—¿Ha prometido eso?

—Sí, por cierto.

Estaba desencajado y lívido. Sus ojos saltones parecían sublevados por el incentivo de todas las mujeres que pasaban.

—Hasta más ver, amigo mío; ya puede que me esté esperando.

«¡Pobre Fígaro!», piensa su interlocutor. Todavía Larra visita aquel día a su legítima esposa, Pepita Wettoret, de la que vive separado.

_____

(1) *Los misterios de Madrid* (Miscelánea de costumbres buenas y malas, con viñetas y láminas a pedir de boca), por J. M. VILLERGAS, Madrid, Imprenta del Siglo, 1845, pág. 220, cap. XXI (Fígaro), tomo III.

Va a la redacción de la revista «España», habla con su editor, Delgado, y con Mesonero Romanos. Por Recoletos, cuenta Azorín, pasea con el marqués de Molins, a quien dice, al despedirse: «Usted me conoce; voy a ver si alguien me ama todavía.» Compra violetas y camelias blancas para su visitante. Entra en la casa. «Fígaro» manda encender todas las luces del saloncito (1). Cerca del balcón está la mesa escritorio, ventrudo mueble de caoba, algo siglo XVII, con un tablero que puede recogerse y quedar cerrado a llave. Sobre una mesa, golosinas de las que placen a Dolores y una botella de cristal tallado con vino de Jerez, tres tacitas, cafetera y azucarero de porcelana blanca. Fígaro enciende una vela e inspecciona su alcoba: la cama, el sillón que usa para desnudarse, la mesa de noche, en cuyo cajón guarda dos pistolas cargadas. Sobre la mesa escritorio, entre otros papeles, hay una cuartilla en la que ha escrito: «Dolores Armijo». En la biblioteca del saloncito, las Cartas Persas de Montesquieu, las Palabras de un creyente, de Lamennais (traducido por Larra), una Historia de la Revolución Francesa, las obras completas de Quevedo, sobre quien está escribiendo.

Larra se sienta y espera. Se levanta. Va al balcón. Mira a la calle de Santa Clara. Llueve. Vuelve a sentarse. De pronto se oyen unos pa-

_____

(1) Según la detallada descripción de estos momentos de Larra, hecha por Almagro en el prólogo a las *Obras Completas de Fígaro*, Aguilar, editor, 1944.

sos. Llegan Dolores y una amiga. Dolores entra en el salón mientras la amiga espera fuera.

LARRA *(nervioso, lívido)*.—¡Oh!, querida amiga. ¡Gracias doy al cielo, que me concede la fortuna de volverte a ver al cabo de tantos días! (1).

DOLORES *(fríamente)*.—Por última vez...

LARRA.—¿Qué escucho? ¿Serás tan cruel?

DOLORES.—Tengo que reunirme con mi esposo, que está en América, y debo salir mañana mismo de Madrid.

LARRA *(acercándose, tembloroso, a ella)*.—¿Para qué has venido entonces, p a r a decirme adiós?

DOLORES.—Para recuperar mis cartas. Es preciso borrar el pasado y que nada quede entre nosotros.

(LARRA *baja los ojos, abatido. Descansa la cabeza en una mano. Después va hacia la mesilla, abre el cajón y saca un paquete de cartas.*)

LARRA.—¿Esta resolución es irrevocable?

DOLORES.—Sí, señor...

LARRA.—Pues en ese caso no me queda otro recurso que pegarme un tiro.

DOLORES *(tomando las cartas que él la entrega)*.

---

(1) Diálogo fabulado en la citada obra de VILLERGAS *Los misterios de Madrid.*

Ese es un rasgo de maravilloso romanticismo.

(Larra intenta abrazarla. Interviene la amiga de Dolores:)

—¡Larra, por Dios!...

Ambas mujeres, Dolores con las cartas en la mano, salen precipitadamente. Un criado las acompaña por las escaleras:

—Pedro —dice Dolores—, suba usted. Pueden necesitarlo.

Fígaro se queda solo. Anonadado. En la penumbra, su soledad se hace densa y pastosa. Se acerca a la mesilla de noche, saca una de las pistolas y, frente al espejo, se pega un tiro en la sien. Cae al suelo, bajo la mesa. La habitación ofrece un aspecto siniestro: las luces se mezclan con el humo de la polvora, que no halla salida. En aquel momento entra Adelita, la hija de Fígaro, a darle las buenas noches. Al ver la figura caída, da un grito. Sube el criado. Acuden los vecinos. La consternación es indescriptible. La imagen de Larra caído, con la pistola, aún humeante, en la mano, será la sombra romántica que siempre acompañará a aquella niña (1). La noticia corre como la pólvora en Madrid. No se hablará, al otro día, de otra cosa. Multitud de amigos acuden al entierro.

_____

(1) Adela Larra y su hermana Baldomera llegarán, con el tiempo, a ser famosas figuras en el Madrid posromántico. Esta Adelita recibiría en su piso de la Castellana las visitas amorosas del Rey Amadeo, y su hermana fundaría un Banco. PEDRO DE REPIDE, *Alfonso XIII*, pág. 18, Edit. Novelas y Cuentos, 1953.

Ha sido una muerte romántica. Larra recibe sepultura de misericordia, de caridad. En algunos periódicos le reprochan su trágico gesto: ¿No tenía, acaso, esposa e hijos a quienes amar? En otros se duelen de su desaparición: cada uno de sus artículos, que el público lee con carcajadas —dice «El Español»—, eran otros tantos gemidos de desesperación que lanzaba a una sociedad corrompida y estúpida que no sabía comprender.

Esta es la muerte de Larra. Con estos o parecidos rasgos se ha pintado, se pinta. Es el cuadro trágico hecho pastiche, la crónica romántica exhumada con truco efectista. Larra se mata por una mujer, aunque las mujeres, como escribe Ramón Gómez de la Serna, nunca le creyeron más que un condenado y excomulgado suicida y no supieran nunca comprender la dimensión tremendamente sentimental de su pistoletazo. Acaso porque su pistoletazo no fue solamente un pistoletazo romántico.

Larra ha muerto. Aquí yace Larra. Frente a un espejo y a las obras de Quevedo. Larra muerto, vivo. Muerto de un tiro en la guerra civil de las dos Españas de su tiempo. Porque Dolores Armijo fue simplemente el dispositivo final con que se culmina, de un pistoletazo, un proceso de desesperación humana y española. Con la pistola de dos cañones que se acercó a la sien, Larra le pegó un tiro a la España imposible que llevaba dentro: la de la integración europea, la democracia, el liberalismo, la cultura. Larra, cansado de escribir, cansado de llorar, solo, en el Madrid de los motines y las logias, la guerra civil y las pandillas de Gómez, se cierra la boca para siempre, convencido ya de que nada se puede hacer en España, porque en sus calles y pueblos yace, muerta, la esperanza.

En cualquier caso, este final trágico encaja en el marco dramático en que se desenvuelve toda la vida de Larra como español y escritor. La rúbrica de la muerte, la guerra, la inseguridad, signan todo su período vital. Larra no vio a España y a sus conciudadanos más que en guerra y enfrentamientos continuos de todo orden. Desgarrados por los cuatro costados. Sin posibilidades de entendimiento porque se enterraban, en el orgullo y la ignorancia, las soluciones de progreso que presentaban las minorías revolucionarias.

CON ESPAÑA A CUESTAS

Nace en plena guerra contra los franceses, en Madrid, el 24 de marzo de 1809, en el edificio de la antigua Casa de la Moneda, cerca de la Puerta de Segovia, donde su abuelo, don Antonio Crispín de Larra, trabajaba como administrador. Su padre era médico militar de primera clase en el Ejército de Napoleón, esto es, *un afrancesado* (español, si seguimos la definición de Vicens Vives, que había acatado a José Bonaparte y consideraba que el mejor régimen para España descansaba en la imitación de la Francia napoleónica). Pólvora y sangre: Madrid huele todavía a dos de mayo. La familia de Larra, en cuyo seno, dice Cayetano Cortés (1), «recibió la educación cristiana con que nuestros

---

(1) *Vida de don Mariano José de Larra*, prólogo a sus Obras Completas. Montaner y Simón, Barcelona, 1886, pág. 11.

padres trataban de suplir otra más brillante», vivía en permanente estado de alarma. Ellos son España, pero también lo son los que con ellos se cruzan en la calle y en el patio de vecindad y quieren arrojar de España a los extranjeros. La herida es más profunda aún que todo esto, porque, a su vez, los *afrancesados* no son antiespañoles, sino españoles que entienden de otra manera el patriotismo. Por su parte, el pueblo quiere algo más que el regreso del rey legítimo: canta, en el odio, la libertad, aunque de la libertad no sabe la letra, sino, por ahora, solamente la música. Es un pueblo hambriento e ignorante, apaleado, al que Larra querrá, a su manera, y cuando pasen los años, *regenerar*. Hay por medio de las gentes, además, una revolución social por hacer. Imaginemos lo que es, en este infierno de ideas y actitudes reales en la calle, la existencia familiar: la angustia ante el futuro, la idea de España incomunicable a aquellas masas de madrileños ávidos de independencia y conciencia nacional.

Larra fue un niño precoz. Sus biógrafos dicen que aprendió en seguida el catecismo y que asimilaba rápidamente cuanto se le enseñaba: su mayor castigo era quitarle un libro de las manos. En 1812, las Cortes de Cádiz, las de la España real, española, aprueban la constitución más avanzada y liberal de Europa —sufragio universal, libertad de pensamiento, abolición de los privilegios, disolución del Santo Oficio— en ausencia del Rey Fernando, absolutista.

La familia Larra vive esta dramática paradoja: las ideas liberales de los afrancesados, hechas leyes por los de la España antifrancesa. Derrota en Arapiles. En la Corte de José I praparan
las maletas. En 1813, los Larra salen de Madrid
camino de Francia. El exilio. Es la raíz europea
del escritor. Su padre recorre varias capitales y
finalmente se instala en París. Mariano José
es internado en un colegio de Burdeos. Aprende
el francés. Se hace, *lingüísticamente*, francés:
no sabrá hablar otra cosa a la hora del regreso.
El europeísmo de Larra es francés y su visión
de Europa estará teñida por su infancia francesa. Será, en el futuro, el terrible «lloremos,
pues, y traduzcamos» (1), ya que el ser escritor
español es estar condenado al silencio. Es esta
raíz europea de Larra un rasgo importante de
su trayectoria vital y literaria. Larra será un
escritor, un satírico ibérico, pero con «otra
España» dentro, con índices de comparación
mentales que le harán ver con más claridad que
otros de su tiempo nuestros defectos y virtudes
colectivos. Su conocimiento vital e intelectual
del francés, que le serviría para traducir continuamente libros y comedias, agranda su visión
de las dos Españas: la tradicional, enquistada,
castiza y feudal, la que apenas, «cuasi» España
escribirá Larra, es una nación gregaria y bes-
tial, y la otra, la europea, constitucional y libe-

(1) «Y en este sentido, demos todavía las gracias
a quien se tome la molestia de ponernos en castellano, y en buen castellano, lo que otros escriben en
las lenguas en Europa.» *Horas de invierno*, 1836.

ral. Lo que no quiere decir que Larra vaya a ser un escritor extranjerizante. No. Un escritor culto suele ser llamado aquí extranjero. Larra es un ibérico. ¡Ay del escritor ibérico que se sabe a Europa! Su iberismo, entonces, es como una navaja en una riña: corta y raja sin piedad. Larra ama a su patria y la ama más porque, en su prisma, ve más clara la ignorancia y el fanatismo en que está sumergida. Y en esa óptica crítica interviene —en él, a quien llama Azorín «el único gran escritor castizo de su tiempo» (1)— este primer exilio físico, que alimentará su constante exilio interior de escritor sarcástico y dolido.

Salen los Larra de España. Entra en España Fernando VII el Deseado y comienza, como era de esperar, la persecución de los afrancesados a los que seguirán, como era de esperar también, la de los españoles que quieren «otra España», aunque no sean afrancesados. Es el terror después del terror, o la guerra civil después de la guerra contra el invasor. De tal manera que los Larra, viviendo en el exilio, viven en España porque tienen el corazón pegado a todas las noticias que les llegan de aquí, esperando la ocasión para volver, a pesar de que el cabeza de familia se ha acreditado en Francia como un excelente médico. Volver, la canción del exiliado político. La canción de los Larra. España está revuelta. De este magma de crisis

_____

(1) Azorín, *Rivas y Larra*, Col. Austral, Espasa Calpe, 1957, pág. 85.

y angustia, en el que hay que detenerse para saber algo más del tiro que se metió Fígaro en la sien, mamará y se criará la adolescencia del escritor. Fernando VII está lejos de todo lo que ha pasado, lo que está pasando, en España: el esquema revolucionario de las Cortes de Cádiz y su mensaje de modernidad, la escisión del pueblo en dos bandos, la necesidad de unas reformas esenciales, las luchas y motines. Ha habido una revolución contra los franceses, un levantamiento patriótico y había también un espíritu de cambio, una protesta por conseguir otra manera de vivir en la gente: una violenta corriente de recambio histórico, iniciada con el industrialismo y frenada, sobre todo en Cataluña, por las tropas de Napoleón. El movimiento independentista que había surgido contra los franceses con el motín de Aranjuez —el 17 de marzo de 1808, cuando Murat marchaba sobre Madrid y Carlos IV y Godoy pensaban sólo en la fuga— proclamando rey a Fernando VII, el hombre que ahora volvía con un pueblo esperándole ansioso de cambios, no es solamente antiextranjero, sino que manifiesta un descontento interior y una esperanza en el joven príncipe. Se necesitaba, se respiraba un cambio. Un cambio, cuya imagen divide a los españoles. Para unos (1) hay que reanudar la obra del siglo XVIII e imitar a Francia, a la vez que se la resiste; hay que reanudar la obra de apertura

---

(1) PIERRE VILAR, *Historia de España*, Librairie Espagnole, París, 1963, pág. 75.

de las instituciones, de libertad de comercio, de expresión, de industrialismo. Para otros, el absolutismo patriarcal de Fernando VII es la garantía de la tradición: hay que defender los fueros, el antiindividualismo económico medieval, la íntima unión de lo religioso y lo político. Es la dualidad permanente, a caballo de los años, heredada de un siglo a otro, con distintas apariencias, pero lo mismo tras la corteza: España liberal, España absolutista, España roja, España negra. Existen ya antes de la invasión francesa; siguen encontradas después. «Lo decisivo en la guerra de la Independencia es el deseo de reformas que aparece en los propósitos de cada una de las Juntas Provinciales y, más adelante, en la Junta Central Suprema —escribe Vicens Vives—. La sacudida popular había sido tan fuerte, que el reformismo político y social se convirtió en uno de los objetivos principales de la lucha, al lado evidente de mantener la independencia del país.»

Fernando VII se coloca al lado de los que desean la España tradicional. La fórmula es sencilla: «absolutismo absoluto». Cree en la fuerza. Ni en el pueblo, ni en los nobles, ni en la Iglesia. El poder, cree en el poder real. Es una ceguera «absoluta» realmente. La derrota de los franceses, alcanzada por el pueblo, justifica la devolución de todo el poder al Rey. Y con la represión de los *afrancesados*, comienza también la de los liberales, piezas de un mismo juego de recambio. «Esta confusión del Rey —añade Pierre Vilar— después de las aclamaciones de Valencia y Madrid, no es sólo el fracaso de unos cuantos años, sino de todo un siglo.» La España «negra» trituraba a la España ilustrada afrancesada y a la otra, a la España ilustrada nacional. Surgen las primeras rebeliones, de carácter liberal, de Porlier y Espoz y Mina. La represión es innoble. El país se convierte en una cárcel. «¿Dónde se puede vivir, a dónde hay que ir a vivir?», escribirá más tarde Larra.

LOS AÑOS NEGROS

En 1818 se promulga una amnistía y los Larra regresan a España. Mariano José es un extraño en su tierra: no habla el castellano. El padre comprende que debe remediarse esta tremenda falta y le interna en el instituto madrileño de San Antonio Abad, donde, según Cortés, «no sólo se perfeccionó en el conocimiento de su idioma patrio, sino que estudió literatura latina y recibió en todo la excelente educación clásica que han acostumbrado a dar siempre los padres Escolapios. Excusado es decir que sus adelantos fueron siempre rápidos; su constante aplicación no se desmintió tampoco, ni su aborrecimiento a los juegos por los que sus jóvenes compañeros se desvivían. En lo único que solía entretener sus ratos de ocio, las veces que no los consagraba a la lectura, era en jugar al ajedrez con su íntimo amigo el conde de Robles, que simpatizaba con él en gustos e inclinaciones». (Larra no era noble y criticó, en el cuadro de la España negra de sus escritos, todos los estamentos y clases sociales. Pero fue amigo de gente rica y aristocrática y «aspiró» y al final «pactó» con los salones. Su desasosiego y drama tienen también aquí su raíz: un liberal que, al final, abraza el antiguo régimen. Entre sus amigos asiduos se encontraban: el embajador de Inglaterra, lord Clarendon; el duque de Rivas, el marqués de Molins, el primer ministro Martínez de la Rosa, el conde de Toreno, el general Castaños, el conde de Campo Alange. La Reina María Cristina deseó conocerle y le recibió en visita.)

Las dos Españas enzarzadas traspasan con sus gritos los muros del colegio de Larra y van ahondando su visión, incipiente, joven, instintiva, premonitoria, de la tragedia nacional. Fernando VII, sistemáticamente, casi sañudamente, va restaurando las barreras tradicionales, los corsés históricos que habían impedido la respiración a la sociedad española, rotos, teóricamente, con la constitución del doce. Autoriza el regreso de la Compañía de Jesús, restablece el Santo Oficio, impone la censura de imprenta, de expresión pública, de reunión. Pero lo más importante: frena la revolución social no imponiendo medidas ni estableciendo un plan para el progreso económico. «El ritmo esperanzador que se había abierto para los núcleos industriales de las regiones periféricas se vio brutalmente cortado por el estallido bélico. Junto a este hecho, la agudización del problema agrario, más radicalizado aún por la crisis bélica, abrirán para los años de la posguerra un panorama penoso» (1).

Los años de 1815 a 1820, que coinciden, en su último bienio, con la estancia de Larra en el colegio de Madrid, fueron, según Jutglar, particularmente difíciles para la vida económica española. Hambre, falta de trabajo, inseguridad pública, guerrillas contra la autoridad real en provincias. Se conspira por todas partes. Un día Larra se entera —la noticia ha causado clamor en calles y plazas de Madrid— de que en Cabezas de San Juan se han levantado las tropas que iban a embarcarse en Cádiz para poner fin a la sublevación de las colonias españolas en las Américas. Al mando de Riego y al grito de «¡Constitución o muerte!», recorren Andalucía. Las tropas realistas están a punto de dominarlas cuando en apoyo de los rebeldes, las guarniciones de Galicia y Navarra toman a su vez partido. El Rey capitula. Da un manifiesto que los liberales leen con el pecho partido por la emoción. Se dice que a Larra se lo leyó su padre llorando: «Marchemos francamente, yo el primero, por la senda constitucional.» Julio de 1820. Comienza el trágico trienio liberal. Mariano José de Larra, a los once años, siente los ideales de su padre. Ahora va a conocer, ya sin

_____

(1) ANTONI JUTGLAR, _La era industrial en España,_ Ed. Nova Terra, Barcelona, 1963, pág. 65.

tapujos ni ensueños, una de las Españas: la roja. Larra vive la entrada de Riego en Madrid. La multitud le aclama, los liberales dan banquetes en su honor. Se escupe el nombre del Rey. Larra oye las famosas estrofas del «¡Trágala!», que ya jamás se le olvidarán:

Desde los niños
hasta los viejos,
todos repiten:
¡Trágala, perro,
traga la Constitución!

«¡Constitución o muerte!» O también muerte con constitución. Asalto a las cárceles; quema en vivo de absolutistas, como antes se acuchillaba a los liberales. Vuelven los liberales exiliados, en una danza de ida y vuelta, de tiovivo histórico, que se va repitiendo todos estos años. El personaje liberal de uno de los artículos de Larra («Dos liberales, o lo que es entenderse») da en dos líneas la figura política de aquel tiempo: «Nacimos en el año 12, nos fuimos con el 14, volvimos con el 20 y escapamos con el 23.» Se vivía con el gabán puesto, a dos pasos de la diligencia, para salir corriendo. Y con dos pistolas en los bolsillos.

«¡VIVAN LAS CADENAS!»

Si en el 20 conoce Larra la España roja de los años negros, la España negra de los liberales, en el 23 va a conocer la España negra de los absolutistas. El trienio liberal significó una cierta recuperación económica, con la restauración del comercio y algunas industrias. Pero políticamente fue un desastre. Las dos Españas se devoraban. A los liberales en el poder les urge su propia izquierda: hay exaltados y moderados. El Rey conspira contra sus propios gabinetes. Se suspenden varias veces las Cortes. Motines, revueltas. En 1822 es la guerra civil. El terror. Varias provincias se levantan en nombre del propio Rey contra el gobierno central. La familia Larra, residente en Valladolid, llama a su hijo y se trasladan, atemorizados ante las persecuciones, a Corella (Navarra). «Allá, en el seno de su familia y en la primera época de su juventud —dice uno de sus biógrafos— continuó haciendo la misma vida laboriosa y aplicada que había llevado durante su niñez. Todas las noches del frío invierno de 1822 a 1823 las pasó trabajando, consagrado al estudio; los ruegos de su madre le obligaban sólo a retirarse a dormir a una hora muy avanzada; así es que en aquella temporada tradujo por entero del francés al castellano toda *La Ilíada*, de Homero, y *El Mentor de la Juventud*, y escribió además originalmente una gramática de la lengua española y un cuadro sinóptico de ella. Tenía sólo trece años de edad cuando compuso estos primeros trabajos.»

Sobrecogido por el miedo y la excitación, en 1823 asiste Larra en Madrid a la entrada triunfal de Fernando VII. La España absolutista ha vencido con la ayuda de los cien mil hijos de San Luis. Los franceses, esta vez con el consentimiento del Rey, han invadido la península y hecho tabla rasa de todas las leyes liberales. Fernando VII es rescatado de su propio gobierno por las tropas de Angulema en el Puerto de Santa María. Ahora vuelve a Palacio entre el clamor del pueblo. «Las voces de «¡vivan las cadenas!», que se oyeron por primera vez en Utrera resuenan ahora en la misma Villa y Corte. De Norte a Sur estallan los gritos de «¡Mueran los negros!», como en toda la península ibérica se denomina a los liberales...» (1).

---

(1) MELCHOR DE ALMAGRO SAN MARTÍN, *Mariano José de Larra tal como realmente fue; su tiempo y su obra*, prólogo a sus Artículos Completos, Aguilar, 1944.

«Su Majestad marcha como un dios sobre triunfal carro, a estilo romano, de 25 pies de alto, del que tiran dos docenas de mancebos vestidos con chaquetas y pantalones verdes y color rosa. Bailarines, en pintorescos trajes regionales, preceden al cortejo ejecutando danzas típicas. Las aclamaciones del público ensordecen. De los balcones cae una lluvia de flores. Aquel día y los siguientes se solemnizan con bailes al aire libre, iluminaciones y corridas de toros.» Naturalmente, Riego ya había sido ejecutado.

«¡Constitución o muerte!» y «¡Vivan las cadenas!», las dos caras, la grandeza y la miseria, la servidumbre y la dignidad nacionales. Este es el primer suicidio de Larra, la primera puñalada que recibe en el conocimiento del pueblo, la idea truncada de revolución. Porque ¿qué revolución puede hacerse a sí mismo un pueblo que hoy pide libertad y mañana besa el látigo? Ve ante él, a su lado, la muchedumbre exaltando la opresión, embadurnando los ideales de libertad y progreso y una inmensa amargura abre ya un agujero en su sien. Un día escribirá que aquella España no sirve, que la ignorancia y la miseria, el miedo, nos impiden adquirir una verdadera personalidad como nación. Somos un «cuasi» pueblo, con un odio «cuasi» general a unos «cuasi» hombres que «cuasi» sólo existen ya en España. Cuasi, embrión de pueblo, pueblo adolescente, engañado, hambriento, atávico, analfabeto, grosero. «La palabra «pueblo» es de las que llamé palabras contrahechas: ciega, sordomuda, se deja guiar e interpretar, sin hacer más que dar de cuando en cuando palos de ciego; como no ve, da ciento en la herradura y ninguna en el clavo: por lo regular se da a sí misma» (1). Larra percibe, mordiéndose los labios, que el pueblo no ve, ni sabe, ni quiere; que es como un monstruo, un niño, al que hay que educar y conducir y, acaso, cuando sea necesario, forzar a que haga su propia transformación.

Comienza de nuevo la persecución de los afrancesados y liberales. Otra vez los procesos, las denuncias, las detenciones. Durante tres años —mientras su familia vive en continuo sobresalto—, Larra se prepara, estudiando idiomas y matemáticas, para hacer una carrera universitaria. Finalmente se matricula en Leyes en la Universidad de Valladolid. A los males interiores de España hay que sumar la desintegración del imperio: Argentina, Venezuela, Chile, Perú. En 1824, con la victoria de Bolívar, termina la dominación española en las Américas. Aquí sigue la represión. En 1825 se fusila al Empecinado. En estos momentos, un suceso sentimental cambia profundamente el carácter de Larra: «Este acontecimiento misterioso —señala Cortés— parece, sin embargo, muy cierto, y ejerció una gran influencia sobre el porvenir de Larra. Su carácter se alteró completamen-

_____

(1) LARRA, *Cuasi* (Pesadilla política), Obras Completas, pág. 452, Montaner y Simón, Barcelona, 1886.

te: de niño estudioso y amante del saber, pero confiado, vivo y alegre, como su edad requería, se hizo sospechoso, triste y reflexivo, como si fuera un hombre hecho. Una persona muy allegada a nuestro crítico pretende que sus sentimientos fueron tan profundamente afectados, que ésta fue la primera vez de su vida que le vió llorar sin consuelo, y aun pretenden que de aquí vienen todas sus desgracias. Lo cierto es que de resultas se vio obligado, bien a pesar suyo, a abandonar su familia, pidiendo licencia a su padre para continuar sus estudios en la Universidad de Valencia.» Otro biógrafo es más explícito: Larra se enamoró de la amante de su padre.

EL DUENDE SATIRICO

En 1826, a los diecisiete años, deja sus estudios, vuelve a la Corte y se decide a vivir como periodista y escritor. En España los caminos estaban inundados de mendigos, se vivía miserablemente; cada dos por tres, las epidemias diezmaban las ciudades; paro, emigración, atraso, incuria por todas partes. «El despotismo —se llega a escribir— pesaba con toda su estupidez y brutalidad sobre el país; predicar la ilustración valía tanto como promover un trastorno revolucionario. Escribir en Madrid es llorar, dirá Larra un día; pero también es verdad que escribir es una forma de hacer la revolución. En este sentido, Larra incorporará un concepto de la literatura totalmente actual: escribir es comprometerse. Comprometerse frente a los errores del poder político, frente a la cobardía del pueblo, frente a los gobernantes, los generales, los ministros, frente al Rey; comprometerse con la situación general de la cultura, la moral, la religión, las relaciones familiares, las costumbres. Con esta imperiosa exigencia interior, Larra, a sabiendas de la dificultad, y conociendo su instintiva voluntad de triunfo, y aún más su rebeldía, se hace escritor. No fue una decisión caprichosa, sino el resultado de lo que ahora llamaríamos una toma de conciencia. Comenzaba su proceso de desesperación personal, que se iba a hacer patente y de continuo, gota a gota, a lo largo de sus escritos.

A Larra escritor le esperaba una España sin hacer, entre la conspiración y el duelo, el carnaval y la penuria. El Rey procuraba gobernar con gabinetes absolutistas moderados, aunque de continuo se colaban los absolutistas apostólicos y exaltados. Enfrente, los grupos y corrientes liberales, que intentaban asaltar la fortaleza real, esperaban su oportunidad. La guerra civil, latente siempre. «Desde 1823 —escribe un historiador— venía dominando la represión de los apostólicos. Calomarde, surgiendo de la nada, había logrado encaramarse a la gracia del Deseado y gobernaba con los más rigurosos métodos absolutistas. El Angel Exterminador (cabecilla absolutista) dictaba desde la sombra listas de condenados. Hubo ejecuciones no sólo en público, sino en secreto. Existió una prisión oculta en Barcelona, llamada Falsa-Braga, a la que hoy, en lenguaje moderno, denominaríamos «checa», donde se ajusticiaba misteriosamente. El 31 de julio de 1826 se celebró en España el último auto de fe.» Parece, pues, imposible que en aquellas circunstancias, dos años más tarde, Larra comenzara a publicar «de su parte», a los diecinueve años, su folleto periódico «El Duende Satírico del Día». «En 1829 —un año después—, el periódico, dice Azorín, acaba honrosamente: lo prohíbe el gobierno.»

LOGIA, CLUB, PERIODICO PRESIDIO

La vida pública de escritor costumbrista, satírico, político, de autor teatral e historiador, de Larra dura apenas nueve años. De 1828, en que aparece en el periodismo con «El Duende Satírico», a 1837, en que desaparece de un pistoletazo. Es, como dice uno de sus jóvenes biógrafos españoles de hoy, una «vida de prisa». Intensa, tensa, ejemplar, en el sentido que da Ortega a esta palabra, referida a la condición humana que atrae y produce adhesiones (1). Una vida meteórica, restallante, romántica, aunque Larra no tuviera, a mi juicio, nada de romántico —salvo el gesto fulminante de su muerte—, pues el romanticismo es la huida, la evasión, el triunfo del sentimiento, la orgía deses-

_____

(1) Véase el artículo de *El Espectador* «No ser ejemplar», Biblioteca Nueva, Madrid, 1943.

perada de la tristeza, y lo que hay en Larra, en su aspecto fundamental de escritor, en la parte más noble y vertebral de su obra, es el rigor, la denuncia sistemática, la búsqueda de alguna fórmula de convivencia viable para el país en que, sin escogerlo, le tocó vivir. La interpretación puramente romántica de Larra —en lo que el romanticismo tiene de salto atrás, al uso— (1), es una irresponsabilidad, un descompromiso: la parte estrictamente romántica de sus escritos es lo más deleznable de todo cuanto escribió; al romanticismo, como escuela literaria, no aportó nada literariamente y sólo tomó de él algunos personajes y juegos métricos, a decir de Menéndez y Pelayo. La verdadera atracción larriana está en su permanente actitud crítica, que exige, a la vez, una actitud mental ante problemas reales, concretos, y ante las corrientes ideológicas de su tiempo.

Ya está Larra instalado en Madrid, en la pequeña sociedad madrileña, en la que, según Almagro San Martín, fácilmente se consigue la notoriedad: basta un artículo de periódico, un discurso, un solo hecho, a veces tan sólo una frase, para que la Fama se rinda. «Larra ha escrito unos cuantos artículos intencionados, malignos, graciosos, con puntas y ribetes políticos todos, aun los más inocentes al parecer, que torean a la censura. No hace falta más que su

_____

(1) Porque el romanticismo, como escribe Umbral, es ambivalente. Es también «un movimiento hacia el porvenir», hacia el progreso, la máquina y la libertad.

nombre corra de boca en boca por todos los contados mentideros de la villa y corte.»

Madrid es pequeño; España, corta y espinada; pero el tiempo en que se vive, en que vive y muere Larra, es ancho y tormentoso, dinámico. Larra fue estrictamente un hombre, un escritor «de su tiempo», del tiempo de cambio en que vivió. Entendió el ser de su época y reaccionó, o asumió su responsabilidad. Son unos años en que España —casi totalmente analfabeta—, con masas hambrientas, mujeres y niños que trabajan hasta extenuarse, incluso en las minas; reprimida, dominada por el oscurantismo y la explotación, intuye que ha de realizar una revolución, como ya la han hecho en otros países. Hay dos fuerzas al acecho que aún no se han integrado en el proceso histórico y piden su oportunidad, aprovechando este instinto de protesta del pueblo: la burguesía, dueña de las incipientes fábricas, y los intelectuales progresistas, a los que pertenece Larra. «De 1830 a 1860 —dice el mismo Ortega en «El Espectador»— no se han hecho grandes cosas gloriosas en ningún orden, pero el pueblo español gozó de una vital sacudida. Las masas populares se enardecen por los emblemas políticos y ponen su pecho en las barricadas; los escritores y hombres de ciencia quiebran las míseras rutinas y el estrecho círculo mental en que se movieron durante el siglo XVIII.» Es «una etapa de ardiente dinamismo, de esfuerzo, de pasión». Larra pertenece a la minoría capaz de entenderlo, de coger la batuta. No cabe duda de que en la proyección de su destino intervienen las pasiones que normalmente están presentes en la vida de los hombres: la vanidad, la envidia, la ambición, el afán de lucro, la sensualidad; pero también es indudable que su trayectoria vital se justifica por un vuelo más alto, por un repertorio de dolores y convicciones españolas más altos que los de la mayoría de sus contemporáneos. La *pasión española* de Larra supera a todas las otras que le mantuvieron en pie.

Larra pertenece, en el tiempo, a la generación que funda el Ateneo de Madrid —institución a la que dedica su atención en algunos artículos—, una generación, escribe Azaña (1), unitaria, activa, creadora. «Todas las biografías se asemejan: la logia, el club, el periódico, el presidio, el Parlamento, el Ministerio: estancias de los más notables. Llevan de frente la reputación literaria y el poder político.» No es seguro que Mariano José de Larra fuese masón; no estuvo en el presidio —aunque sobre el presidio y sus leyes escribió uno de sus más acusadores artículos (2)—, ni en un Ministerio, lugar donde abandonó un puestecito al iniciar su profesión de escritor. Fue diputado durante nueve días, en 1836, como veremos. Donde sí estuvo, en

(1) Manuel Azaña, «Tres generaciones del ateneo» conferencia inserta en *La invención del Quijote y otros ensayos*, Espasa-Calpe, Madrid, 1934.
(2) *Los barateros, o El Desafío y la pena de muerte*. O. C. Larra, Montaner y Simón, Barcelona, 1886, página, 504.

presencia apasionada y activa, comprometida, es en las calles de aquel Madrid, «trabajando por la calentura política —dice Azaña—, donde iban a contrapelo la desidia popular, la majeza pintoresca, el servilismo ignorante y la frenética acción de la nueva clase directora», en las redacciones de los periódicos, en los salones y fiestas y en los cafés. Escribe, habla, conspira dialécticamente sin entrar en el dramatismo de la acción, busca peligrosas relaciones con mujeres, sueña y se duele. Sobre todo, desde la mañana a la noche, *está en España*, con la gente y el nervio de la sociedad. Lentamente primero, después ya comprometido hasta el corazón, decide dar la batalla de escritor en el campo de la sátira política. En Larra —salvo en sus traducciones dramáticas del francés y en sus obras de teatro— todo es política. Se inicia en «El Duende Satírico» con artículos costumbristas, género en el que él mismo confiesa que empezó a publicar sus «humildes ensayos casi al mismo tiempo que el Curioso Parlante», pero en seguida va subiendo de tono, de réplica, de protesta. El mismo artículo costumbrista no es, para él, un mero espejo de la sociedad, una descripción más o menos moralizante de los modos de vivir de la época, sino una referencia, apuñalada por la amargura, a una España que había que transformar. Larra, como escritor y periodista, está fatalmente destinado a un campo: «Este campo —escribe uno de sus epígonos— no podía ser otro que la política, la ocupación principal de nuestras generaciones, el tema de nuestros autores más distinguidos, el faro de nuestras ideas más originales, la enseña, en fin, tras que marcha todo nuestro siglo. El absolutismo se lisonjeaba en vano de oponer entonces barreras en España a la libertad que se adelantaba a la carrera. Nuestro país debía cambiar completamente de fa.» Larra intenta catalizar, acelerar el cambio. Por esta razón es prohibido «El Duende Satírico del Día».

UN GALLO LLAMADO «FIGARO»

Pero Larra sigue escribiendo. Sin cesar. Publica cuando puede. En 1829 traduce comedias del francés y firma con pseudónimo. Todavía se vive en la «década ominosa»; Calomarde persigue sañudamente, con el consentimiento de Fernando VII, a los liberales. En 1830, Espoz y Mina, que intentaba una invasión desde Francia con rebeldes constitucionales, es derrotado. Nace la infanta Isabel, hija de Fernando VII y María Cristina de Borbón: «Creíamos inaugurar una Reina y realmente inauguramos una revolución», escribe Larra al transcribir aquellos años y refiriéndose a la rebelión carlista y la guerra civil que ensangrentó España por la sucesión al trono. En 1831, cuando el general Torrijos desembarca con otro puñado de rebeldes liberales en Málaga y es ejecutado, como lo es también la legendaria Mariana Pineda por bordar una bandera, Larra estrena con éxito una comedia en el teatro madrileño de la Cruz. Conspira en los cafés, en los salones, en la calle. Su lengua es acerada, sarcástica: ridiculiza la política y sus personajes —somos un país de cuasi hombres con unas cuasi instituciones políticas— y polemiza constantemente. Pero sus maneras son educadas, ilustradas, afables. «Era Larra, cuenta Azorín (1), más bien bajo que alto. Tenía la tez morena, con un ligero matiz de bronce. Orlaba su cara una barba negra y sedosa; erguíase sobre su frente un recio mechón rizado. Sus ojos refulgían negros, anchos, vivos, expresivos, elocuentes. Sus maneras eran afables; cuando en sus críticas ha de censurar a un autor o a un actor, lo hace con toda clase de excusas y miramientos. Vestía Larra con aliño y buen gusto.» «Fígaro, dice Almagro, verdaderamente asemeja en el ruedo literario un rampante gallito de pelea. Viste a lo dandy con tal primor en sus indumentos, refinamiento en sus perfumes y gusto en sus joyas, que puede frecuentar en pie de igualdad la amistad de algunos grandes señores, por nacimiento y fortuna muy por encima del joven y ambicioso currucato.»

Larra se ahoga, a pesar de su exterior frívolo y alegre, en este Madrid y esta España. Su vida está punzada por la rutina y la observación de la crisis española. Madrid, con sus peligros, conspiraciones y levantamientos, parece no salir de aquel tiovivo constante entre liberales y con-

_____

(1) «Larra», en *Páginas escogidas,* Edit. Calleja, Madrid, 1917.

servadores, que es la historia del siglo. Larra es un personaje conocido. Se adapta al ambiente, pero lo ridiculiza y acusa: Té o chocolate a las diez de la mañana; lectura de unos periódicos que «se me figuran siempre haberlos leído ya; todos me suenan a lo mismo»; paseo por la carrera de San Jerónimo, Carretas, Príncipe y la Montera, donde se encuentra uno en un palmo de terreno «a todos mis amigos»; después, a casa de la condesa hasta las tres; a tal otra casa hasta las cuatro: en donde entro, oigo hablar mal de la casa de donde vengo, y de la otra a donde voy; después de comer, a Solito, y allí dos horas de tertulia con la segunda edición de las mismas conversaciones de la calle de la Montera, donde se va a mentir; después, al teatro; por la noche, al café otra vez, y si es noche de «sociedad», a la gran tualeta, con gente que es la misma sociedad de la víspera, y del lunes, y de las mismas visitas de la mañana. Y así un día y otro. Esta es la vida de Madrid, del Madrid que ridiculiza Larra, pero en el que está inmerso. Parece un adaptado al ambiente. Pero la procesión va por dentro; la amargura de España le corroe las entrañas: en cada artículo que escribe, dirá, «entierro una esperanza o una ilusión». Vive con el hábito de reírse —cuenta a los redactores de «Mundo»— por «no tener que llorar por todo»: yo soy Fígaro, y Fígaro y Mariano José de Larra son uña y carne: juntos vivimos, juntos escribimos y juntos nos reímos de ustedes, de los demás y de nosotros mismos.

PISAVERDE, CINICO, DESESPERADO

En 1832, aprovechando la regencia de María Cristina por enfermedad de su esposo, los liberales, a pesar de la oposición de Calomarde —«éste es un año apostólico», escribirá Larra en su traducción del ensayo de Charles Didier «De 1830 a 1836, o la España desde Fernando VII a Mendizábal»— obtienen una amnistía. Se reblandece la censura y Larra publica su folleto periódico «El Pobrecito Hablador», del que edita catorce números. Alterna su labor crítica de periodista y escritor satírico con el teatro. Estrena *Felipe*, comedia traducida del francés; *Roberto Dillon o el católico de Irlanda*, melodrama de gran espectáculo, y otras piezas. Pero su auténtica fama, causticidad e influencia, es a través de «El Pobrecito Hablador»: «Desde este momento —señala Cortés— no abandonó nunca la política que fue para él una fuente inagotable de ingeniosísimos artículos, en que satirizó a su sabor todas las anomalías e irregularidades que le ofrecía «aquella fecunda época».

Primero, en «El Pobrecito Hablador», en cuyo prólogo escribe: «Consideramos la sátira de los vicios, de las ridiculeces y de las cosas, útil, necesaria y sobre todo muy divertida»; después, en la «Revista Española» (años ya citados, 32 a 35), en «El Español» a fines de 1835, en «El Mundo», «El Observador», «El Redactor General» y en otras publicaciones menores, firmando como el Bachiller Juan Pérez de Munguía, como Fígaro, Andrés Niporesas o simple y llanamente con su nombre y apellidos, va retratando, hablando, a c u s a n d o, mordiendo, apuñalando, amando, doliendo a España Mariano José de Larra. No hay vicio de la Corte, o cáncer nacional, o desidia, o privilegio, o injusticia; no hay político vanidoso, gobernante injusto, ley descalabrada, desequilibrio social, atraso cultural o insuficiencia castellana que no vaya poniendo Larra en solfa. Hace reír, pensar y, a veces, llorar, como los payasos. Leer toda la obra de Larra esparcida por los periódicos de su tiempo, a la que él daba vida breve y en la que ponía más urgencia que cuidado («La precipitación con que se escribe en un periódico —dice en el prólogo a una colección de artículos escritos durante los gabinetes, tan distintos, de Calomarde, Cea, Martínez de la Rosa, Toreno— y la influencia que ejercen las circunstancias en los redactores y en los lectores, son causas de que no pocas veces adquieran cierta efímera aceptación, en el momento de ver la luz, algunos artículos que, examinados detenidamente a sangre fría algún tiempo después, mal pudieran resistir la crítica más indulgentes» (1), es asistir a un espectáculo de desnudismo en la historia de España, a las peripecias de un retablo cuya acción no se ha extinguido todavía; es confesarse con el Madrid y las provincias del siglo XIX, acaso no muy diferentes, esencialmente, al Madrid y las provincias de este siglo. «La España —anota— está acribillada de abusos civiles, judiciales, burocráticos, de todas especies, en fin.» Y así, por la retina, el corazón y la pluma de Larra pasan los empeños y desempeños de la mesocracia, los malos cómicos, los periodistas currucatos, los cafés y los excesos tertulianos, las intrigas parlamentarias y palaciegas, el vuelva usted mañana, los Cándidos Buenafé y los castellanos viejos, el casarse pronto y mal, las fondas nuevas y viejas, que todas huelen igual, esto es, mal; las máscaras y los carnavales, los liberales que sólo tienen para vivir «mi opinión liberal, con la cual me doy a todos los diablos, y una silla en la cual me siento», los petimetres, los criados, la chusma, los carlistas o «nadie pasa sin hablar al portero», los facciosos, los modos de vivir que no dan para vivir, los reos de muerte, los periódicos nuevos y viejos, las sátiras y los

_____

(1) O. C. de Larra, citadas: página, 257.

satíricos, el truhán, el ambicioso, el pretendiente, el censor, la libertad, el amor, el adulterio, la moral, la guerra civil, el Estatuto, los difuntos, el «en este país», el «aquí yace», la Nochebuena del criado, el arte de conspirar, el lloremos y traduzcamos. El ¡Dios nos asista! de aquella España que quería y no podía y terminaba diciéndoselo todo a palos, está en Larra, vive en Larra, perdura, resucita, acusa, en Larra. ¡Y él creía que aquellos artículos morirían con la fugacidad y la urgencia del periódico! ¡Ay, Larra, si supieras! «En este pisaverde cínico y desesperado —dice Juan Aparicio en su interpretación falangista de Larra (1)— tal vez desesperado y cínico a causa de que el Estado apetecible no se cuaja y falla, hay una síntesis y una antítesis sin armisticio de nacionalismo y napoleonismo, como dentro de todos los muchachos más despiertos de Europa.» «El talento de Larra —añade— descubría la esterilidad de las fórmulas liberales que eran palabras huecas, sin que la voluntad de los antiguos doceañistas convertidos en presidentes del Consejo se animase a realizarlas y a incorporarlas revolucionariamente.»

Que Larra se desengañase de las fórmulas liberales —para él liberalismo significaba libertad y democracia— no está tan claro. Sin embargo, sí está claro que Larra no creía —y su

_____

(1) «Nuestro Fígaro», artículo aparecido en el libro *Españoles con clave*, JUAN APARICIO, Barcelona, Luis de Caralt, 1945.

desengaño final impulsó el dedo con que apretó el gatillo de su pistola— en los gobernantes de su tiempo, en los presidentes del Consejo que se sucedían uno tras otro sin encontrar la clave de la convivencia política española. Calomarde, el responsable de la década del terror —los años de la «reacción espantosa», como dice el historiador Lafuente—, machaca la libertad y por su cerrazón absolutista queda al margen de cualquier juicio benévolo; Cea Bermúdez, que sucede a Calomarde, realizó algunas reformas y aperturas, pero muerto el Rey, tiene miedo a la revolución y t o d o s comprenden, traduce Larra, que «Fernando vivía todavía en su ministro»; así que cayó en 1823 por demasiado liberal, y en 1834 porque no lo era bastante. Le sucede Martínez de la Rosa: «la primera victoria de la democracia», anota Larra. «Martínez de la Rosa en el ministerio era la doble rehabilitación de 1812 y 1820, era la condenación de 1823, era la convocación de las Cortes.» Todos esperan del famoso Estatuto —carta constitucional que iba a abrir camino a los liberales, a las ansias revolucionarias del país— de Martínez de la Rosa una solución democrática. Pero «el Estatuto no fue más que un mal remedo de la carta sacramental inglesa». En las Cortes de Martínez de la Rosa «echáronse de menos —según el ensayo traducido por Fígaro— un sentimiento pronunciado de progreso, instintos más democráticos, mayor inteligencia de las nuevas doctrinas sociales, más saber, mayor conocimiento, en fin, de los males de la monarquía y de los remedios posibles». No estaban dotados de «instinto revolucionario»: «La España se presentaba allí como Job, exponiendo a la vista del mundo sus mil llagas abiertas, en tanto que los médicos disertaban eruditamente sobre Hipócrates y Galeno. El recuerdo urgente del enfermo sólo se presentaba de cuando en cuando a alarmar momentáneamente con sus agudos quejidos a los ineptos doctores.» Toreno sucede a Martínez de la Rosa, pero «Toreno no fue más que el continuador de Martínez de la Rosa»; sóbrale escepticismo y fáltale ambición; ni fue ministro de revolución. Después, Mendizábal. A pesar de sus reformas, o por culpa de ellas, Mendizábal tampoco hará nada, será vencido por la reacción.

Efectivamente, Larra entendía que los ministros de la Corona eran «fantasmones» sin capacidad. «La piedra de la revolución, girando sin cesar, gasta con una inconcebible rapidez a los hombres que más resistencia parecían ofrecerle.» La guerra civil es la llaga dolorosa. ¿Cómo acabar con la guerra civil? ¿Cómo instaurar la libertad política dentro de un orden? Lo que Larra va percibiendo patéticamente en sus escritos es, a lo largo de los años de cambio que le toca vivir, la incapacidad fatal de España para hacer viable un parlamento liberal de estilo europeo. Y esto le desgarra.

IDEARIUM

¿Cuál es el ideárium de Larra? ¿Pero tiene ideárium Larra? «Si quisiéramos reducir a una línea general y uniforme la obra total de Larra, determinando cuál es el meollo filosófico-político de su pensamiento, nos veríamos perdidos ciertamente en un embrollo de confusión y contradicciones», dice su biógrafo, ya citado, Melchor de Almagro San Martín. Larra, hay que contestar, no es un político, ni un filósofo: es un periodista. Aun así, la totalidad de su obra, su trayectoria, el «aire revolucionario» que se respira en sus páginas, su capacidad de crítica, su obsesión por la reforma del carácter español, tienen coherencia. Dejan un impacto único, si no un sistema. Producen, de alguna manera, una liberación de nuestros complejos. Larra es un ideárium extrañamente vivo, un mensaje entero, que no hace falta desmenuzar. No obstante, podría reducirse esquemáticamente su posición y actitud frente a España, a estos sintéticos esquemas:

El dolor de España

Está presente en todas las páginas de Larra escritas para los periódicos. España ocupa su atención obsesivamente. En el fondo de sus críticas y sus sarcasmos, late un profundo amor, mejor, una *pasión de España*. Le duele lo que en ella ocurre, el atraso, la guerra civil, la distancia entre las clases. Le duele hasta el paroxismo. En uno de sus postreros artículos, «Horas de invierno», llega a dar un diagnóstico definitivo de nuestra decadencia, de aquellas causas que justifican o explican nuestra situación en la última fila de la jerarquía europea: «Es demasiado cierto que sólo el orgullo nacional hace emprender y llevar a cabo cosas grandes a las naciones, y ese orgullo ha debido morir en nuestros pechos. Juguete hace años de la intriga extranjera, nuestro suelo es el campo de batalla de los demás pueblos; aquí vienen los principios encontrados a darse combate; desde Bonaparte, desde Trafalgar, la España es el Bois de Boulogne de los desafíos europeos.» Las naciones europeas se citan, para luchar, en nuestro suelo. Ventilada la cuestión, ¿qué nos queda?: «Lo que puede quedarle al campo de batalla: los cadáveres, el espectáculo de los buitres, y un letrero encima: «Aquí fue la riña». Es esta burla de las demás naciones lo que provoca en Larra una nostalgia del poder militar, sin el cual no hay hegemonía política y cultural posible. Las naciones deben extenderse por las armas, «y donde no lleguen sus armas, no llegarán sus letras». Esto es puro dolor y no debe interpretarse de otra manera, ni como una postura imperialista, ni como una convicción de que sólo las armas pueden salvar al país, tal como se ha querido ver. Es dolor, resentimiento, al final patriotismo ingenuo ante la ruina española que contempla. Por lo demás, Larra es un demócrata.

Le duele a Larra tanto España, que no puede estar fuera de ella mucho tiempo. Y cuando sale de sus fronteras, como ocurrió en 1835, llora. Siendo un escritor mordaz y crítico, no puede evitar la protesta ante la fórmula expedita y rutinaria que emplean muchos españoles de echarle al país la culpa de todo lo que ocurre. El patriotismo de Larra es un patriotismo crítico y consciente, el «amo a España porque no me gusta», tan repetido después. En esa línea se iban a mover la Generación del 98 y todos los movimientos regeneracionistas y revolucionarios posteriores.

La creencia en la libertad

«Ama Larra apasionadamente la libertad de la prensa; fue su vida toda una interminable y tenaz batalla contra la censura ejercida en su tiempo», dice Azorín. Hay que añadir que no sólo ama la libertad en la prensa, sino en el orden social y político. Son innumerables las citas largas y cortas de sus escritos que se podrían aducir. Habría que ser más exactos: toda la literatura «contra» escrita por Larra es una consecuencia de este su afán de libertad. Encuentra la sociedad vieja y encorsetada: el orden político, el social y el económico coartan, no impulsan. Postula, pues, la libertad. «Tan liberales somos, tan allá llevamos el respeto debido a la mayoría, al voto nacional, a la soberanía del pueblo, que no reconocemos más agente revolucionario que su propia voluntad», escribe en el prólogo a *El dogma de los hombres libres*, de Lamennais, cuya traducción española realizó. Naturalmente, de todas las libertades posibles, aquella que encuentra más eficaz y revolucionaria es la libertad de pensamiento, que da vía al progreso y la cultura. Por eso dice «no conocemos crimen mayor que el empeño que los Gobiernos ponen en coartarla (la libertad de pensamiento).» Hay que respetar la voluntad del pueblo: «Violentar por alterar, forzar la voluntad existente y dar a los hombres por la fuerza su felicidad misma, es un crimen.»

Es el choque de este presupuesto de libertad

que pide Larra para todos con la realidad existente lo que precisamente produce en él y exacerba el sentido crítico. Libertad para todo. Nada sin libertad. «Libertad en literatura, como en las artes, como en la industria, como en el comercio, como en la conciencia: he aquí la divisa de la época; he aquí la muestra.» Pero España, que había gritado ante el mismo Larra el «¡Viva la Constitución!» seguido del «¡Viva las cadenas!», no es aún una nación propicia para la libertad. Todo está corrompido, todo es fraude y engaño. Larra se asquea de los que juegan y negocian con esta palabra, de los «bulliciosos liberales de Madrid que traficaban». Y se reprocha: «Te llamas liberal y despreocupado, y el día que te apoderes del látigo, azotarás como te han azotado.»

No es un concepto estático de la libertad. Es una vivencia. La libertad como elemento operativo de la revolución. Por eso pide Larra unas cortes independientes, libres del poder y la influencia del Rey. Por eso a Larra le parecen estrechos los esquemas de las constituciones, incluida la del doce, que se promulgan.

La posibilidad de una revolución

Constantemente habla y escribe Larra de una revolución latente en el pueblo español, de una posibilidad de cambiar las estructuras y, por tanto, el país. El liberalismo, en lo que significa romper con el status imperante, es el

71

reflejo, en las minorías responsables, de ese espíritu revolucionario. Los políticos fracasan porque no oyen lo suficiente esta voz revolucionaria; la monarquía se tambalea por cerrarle las puertas a la revolución. La revolución es el cambio, la entrada en la vida de ideas, sistemas y hombres nuevos. La revolución es la democracia basada en la soberanía popular. De Calomarde acá —escribe en su famoso artículo «Dios nos asista»—, ¿qué protección, qué ley electoral ha llamado a los hombres nuevos para darles entrada en la república? Cuenta, sin embargo, con ella, y llámelos la ley presto: ¡Déjese entrar legalmente a los hombres del año 1836, o se entrarán ellos de rondón!» La revolución ha de hacerse con el sentido creativo que exija cada momento y circunstancia: «Para 1836, la única constitución posible es la constitución de 1836.» Pero, además, la revolución está en marcha, como dice la sentencia popular, y no hay quien la detenga: «La revolución española está en su primer grado, traduce en *La España desde Fernando VII hasta Mendizábal;* está en la atmósfera, digámoslo así, la respiramos, la sentimos...» Y más adelante: «Un descontento sordo y general vuelve a anunciar tormentas: la piedra de la revolución, girando sin cesar, gasta con una inconcebible rapidez los nombres que más resistencia parecían ofrecerle. Y tiene razón la revolución española en ser exigente. Observemos que a pesar de los obstáculos, a pesar de la impericia de los jefes y de sus faltas, desde que ha empezado a andar, no ha dado un solo paso atrás; hase desarrollado con método...» No queda en Europa más que un noble: la revolución. «Opone a los sofismas de la usurpación la elocuencia del derecho; úsase de violencia, usa ella de razón; ellos tienen la espada, ella tiene la inteligencia.»

Es la traición a esta revolución, en el «pacto político» de Larra, a que me referiré a continuación, uno de sus desasosiegos aniquilantes.

LA OTRA MUERTE DE LARRA

Hay dos hechos sustanciales en la vida de Larra que la condicionan y deciden. Uno es de orden sentimental; otro de orden ideológico y político. El primero, su *matrimonio fracasado;* el segundo, su *pacto con los liberales* moderados que suceden, con el gabinete Istúriz, a las reformas radicales de Mendizábal.

A los pocos años de casarse con Pepita Wettoret, Mariano José de Larra encuentra su hogar vacío; su unión, una torpeza; su amor, una soledad. Ha sido un matrimonio mesocrático. El lo ridiculizará en «El Pobrecito Hablador» con su famoso «El casarse pronto y mal»: Elena y Augusto, pasados los primeros meses de luna de miel, comprenden las dificultades de vivir, las privaciones, las humillaciones a que les somete la sociedad en que viven. Pronto el amor se trueca en rencor, y las dulces palabras en sarcasmos. Y surge la tragedia. Ella huye con otro; él mata al adúltero y su esposa se suicida.

No terminó en el suicidio la esposa de Larra —«linda muchacha apenas púber, muy frágil, muy menuda, con ojos azules y boquita de rosa», a la que encontró, seguramente, dice el historiador, «en algunas de aquellas reuniones de medio pelo (romanzas, declamaciones de versos, loterías de cartones y ambigú con chocolate, rosolí y bolados de azúcar)» a las que concurría—, pero sí en separación dramática. La boda se celebró en la iglesia madrileña de San Sebastián, el 13 de agosto de 1829. Ni dinero ella, ni dinero él. «Desde los primeros días del matrimonio —añade Almagro—, las penurias económicas acibaron la luna de miel.» Larra huye de su unión, pasa las horas en el café, se distancia. En 1833, Pepita le abandona. Larra ha conocido —se supone que al año siguiente de su matrimonio—, en otra reunión, a Dolores Armijo —«la contrafigura de Pepita», describe el citado biógrafo: «Física y moralmente son diferentes y opuestas. Pepita es rubia; Dolores morena. Su mujer no gusta de las buenas letras, sino de los folletines truculentos; Lola hace poesías y ha escrito dos novelitas muy sentidas y discretas»; una detesta las reuniones, la otra las adora; Pepita es retraída, de salón Dolores— y se lanza a una relación clandestina. Dolores Armijo está casada con un funcionario. Entre el escritor y la novelista hay una larga historia, muy de aquel tiempo, que dura cinco años. Los detalles, las maniobras amorosas, los enredos, las cartas, los apasionamientos, son secretos de alcoba o, en cualquier caso, de una vulgaridad tan espantosa, que quizá desfiguren a Larra más que componerlo. Tales fracasos matrimoniales, las huidas, los engaños, ¿no se han repetido, se repiten, quizá se repetirán, por docenas, en aquel tiempo y en éste? Los biógrafos de Larra coinciden en afirmar que su comportamiento en este aspecto, su truculenta búsqueda y coacción de la mujer otra fue siniestro. Hasta que el 13 de febrero de 1837, Larra no consigue, en la famosa cita que ya hemos reseñado, la reanudación de su compromiso con Dolores Armijo.

En 1836, en mayo, sucede en el poder el liberal moderado Istúriz al liberal radical Mendizábal. España está en plena guerra civil entre carlistas y cristinos o isabelinos. Al radicalismo de Mendizábal —que ha decretado la desamortización de los bienes religiosos y la libertad de imprenta— sucede un intento moderador. El partido liberal se rompe en dos corrientes y bandos: uno pacta con la Corona —porque quizá «la autoridad del trono, señala Cortés, les parecía la única que podía asegurar el éxito de las reformas políticas» o porque así se podría detener la guerra civil— y otro se queda en la frontera radical: soberanía popular, sufragio universal, control del poder real. Larra —por ambición, por equivocación, por cálculo, por amistad, por creer de buena fe en las posibilidades de la nueva situación— se queda en el bando conservador. La guerra civil, que no parecía tener fin, podía acabarse con un gabinete moderado; la guerra civil atormentaba a Larra, era la España dual e irreconciliable que impedía la revolución. ¿Fue la angustia de la división española lo que decidió a Larra o fue una traición siniestra? En cualquier caso, se produce el drama de aquella generación, que, como señala Azaña, para subsistir en el poder ha de transigir con aquellos principios que no acepta: «el precio de la transacción fue la libertad de conciencia, es decir, lo más valioso del principio liberal»; pone al servicio de la Corona y la Iglesia la fuerza política conquistada frente a ellas.

Larra, en las elecciones de agosto de 1836, consigue un acta de diputado por Avila. Se ha puesto al lado del sistema legal, del Estatuto tantas veces denostado. A los pocos días, algo sucede a su izquierda: la revolución. Los sargentos de La Granja, con milicias populares y un regimiento de la guardia real, imponen a la Reina la vuelta a la Constitución de 1812. Larra se encontró, dice Cortés, lanzado, sin comprender ni compartir, en el partido de la resistencia: « no por simpatía alguna hacia él, sino por la fuerza misma de las cosas». Había traicionado a los liberales, al liberalismo radical. ¿Se había traicionado a sí mismo?

Desde aquel instante entra en una fase de desesperación y amargura. Al fracaso amoroso se añade el fracaso político. Nada entiende, nada comprende, nada quiere ya. España ¿estará fatalmente condenada al vaivén de las revoluciones? ¿Es imposible una evolución sin violencia? ¿Es imposible la revolución? ¿Entre qué gente estamos? El dos de noviembre del mismo año escribe en «El Español» su epitafio. Todo ha muerto en Madrid. En España sólo hay tumbas. En mi corazón yace, como en un sepulcro, la esperanza. «Ha hecho usted bien en irse a la Luna —le dice «Fígaro» al estudiante—, porque aquí, amigo, nadie se convence, y eso que media España anda todo el día ocupada en convencer a la otra media.»

Así, llega el 13 de febrero de 1837. Volvamos a aquel día. Larra ha salido a la calle; ha visto a España, el carnaval y las máscaras; ha paseado con un amigo íntimo —«Usted me conoce; voy a ver si alguien me ama todavía»—, ha vuelto a su casa, Santa Clara, 3, «donde se nos puede prender», señores redactores, «por la mañana, desde las nueve en adelante», y donde admite «anónimos, calumnias, billetes amorosos, esquelas de entierro, comunicados, desafíos, motines, puñaladas...», y se tumba a esperar. Tiene cerca las obras de Quevedo, las cartas de Dolores, una botella de Jerez, dos pistolas. Se oyen unos pasos:

—¿Eres tú, Dolores?

—Soy yo: España.

—¿España?

—Sí. ¿Qué deseas?

—De ti quiero el progreso, la revolución, la paz, el entendimiento entre tus gentes, la cultura en el pueblo, la libertad.

—Eso, Larra, es imposible.

Hace sombra. Se oyen los gritos, fuera, de las máscaras y el carnaval; los pasos de la visitante se alejan.

Es entonces, solamente entonces, cuando Mariano José de Larra se pega un tiro.

LARRA Y EL PUEBLO

> *Nosotros no somos una sociedad si-*
> *quiera, sino un campo de batalla donde*
> *se chocan los elementos opuestos que*
> *han de constituir una sociedad.*

(Crítica de *Anthony*)

> *...este incultísimo país de las Batue-*
> *cas, en que tuvimos la dicha de nacer,*
> *donde tenemos la gloria de vivir y en*
> *el cual tendremos la paciencia de morir.*

(Carta a Andrés, escrita desde las
Batuecas por El Pobrecito Hablador.)

De Larra se ha escrito que fue un rebelde,
un desarraigado y un solitario. Larra está solo
en su tiempo y contra su tiempo. Esta situación radical nace precisamente de su posición
crítica. El escritor aspira a una sociedad mejor, distinta, ideal desde sus íntimas convic-

ciones, y esto le aleja de sus contemporáneos y de las circunstancias históricas que vive. Esto significa soledad, pero no es la soledad lo que dicta la postura de Larra, sino, al contrario, su sentido comunitario. Busca a los otros, sueña otra España y otra gente porque aquella España y aquella gente no le gustan; es decir, vive *comprometido* con los demás. Si la literatura, la creación literaria, es, como dice Hemingway, un safari en solitario, lo es en su función personal. Pero su sentido es comunicativo. Todo escritor busca, de alguna manera, al pueblo, a los otros. Si no, no se entiende; no es un escritor, sino un loco.

Larra tiene un sentido operativo de la literatura. No hace abstracciones; escribe para y por su tiempo. Espera obtener algo de su función: influir, reformar. Hablando de los escritores satíricos, entre los que se autoclasifica, les atribuye una clara misión social: «Somos satíricos porque queremos criticar abusos, porque quisiéramos contribuir con nuestras débiles fuerzas a la perfección posible de la sociedad a la que tenemos la honra de pertenecer.» Por otra parte, considera la literatura como un reflejo de la época en que se vive y como un elemento de progreso. Larra puede estar solo, muchas de sus actitudes van contra la sociedad, pero Larra no es un insolidario. Por lo menos no lo es totalmente. Busca desesperadamente, sin encontrarlos, claro, a los otros.

Con frecuencia se pregunta: ¿Dónde está el

público? ¿Quién es el público? ¿Dónde está el pueblo? ¿Quién es el pueblo? La vida de Larra, en definitiva, salvo en los momentos en que, desesperado, se retira, hastiado, del contacto con la gente —y aun en esos momentos de silencios y monólogos terribles, es para encontrarse con su criado— está en la calle, la plaza, el saloncillo, el patio de butacas, las fondas, las diligencias, el café, el Ateneo. La sociedad, el pueblo, la gente. Naturalmente, lo que ve no le gusta. ¿Qué ve «El Pobrecito Hablador», con su cara bobalicona, un domingo en Madrid? Ese día, cuenta, un sinnúmero de oficinistas y de gentes ocupadas o no ocupadas el resto de la semana, se muda, se viste y se perfila; a primera hora llena las iglesias, la mayor parte para ver y ser visto. «El Pobrecito Hablador» escribe en su cuaderno: «El público oye misa, el público coquetea, el público hace visitas, la mayor parte inútiles, recorriendo casas, adonde va sin objeto, de donde sale sin motivo, donde por lo regular ni es esperado antes de ir ni es echado de menos después de salir; y el público en consecuencia pierde el tiempo y se ocupa en futesas»; idea que confirmo —añade— al pasar por la Puerta del Sol. Después, la gente va a fondas y mesones sucios y oscuros, donde gusta de comer mal, de beber peor, aborreciendo el aseo. Más tarde se desparrama por plazas y paseos, a seguir sus intrigas amorosas ya empezadas o a enredar otras nuevas; a hacerse el importante junto a los coches, a darse pisotones y a ahogarse en polvo. Otros van a las novenas y a los toros, o al circo Olímpico. Aquí cuatro militares, en un puerco y opaco café, el del Príncipe, discuten a matar y se desafían al hablar de toros; ahí cuatro leguleyos se arrojan a la cara dicterios hablando de lo que no entienden, de poesía; más allá, los viejos gritan pestes de los jóvenes; otra clase de gente, entre tanto, mete ruido en los billares, y éste es, «de todos los públicos, el que me parece más tonto». Si Nochebuena, la gente la celebrará engullendo, pues que dice «¡comamos!» en vez de «reflexionemos»; si Carnaval, las máscaras harán de las suyas y festejarán con estropicios y atropellos su alegría; si es patriótico el día, habrá quema y denuncia de enemigos. Y siempre, y en todas partes, «muchos majaderos, que no entienden de nada, disputan de todo». Este es el pueblo, el público, de «El Pobrecito Hablador».

En su crítica teatral al *Anthony*, de Dumas, Larra traza un cuadro más concreto y elaborado de la sociedad española:

«Por mil veces lo hemos dicho: hace mucho tiempo que la España no es una nación compacta, impulsada de un mismo movimiento: hay en ella tres pueblos distintos: 1.º, una multitud indiferente a todo, embrutecida y muerta por mucho tiempo para la patria, porque no teniendo necesidades carece de estímulos, porque acostumbrada a sucumbir siglos enteros a influencias superiores, no se mueve por sí, sino que en todo caso se deja mover. Esta es cero, cuando no es perjudicial, porque las únicas influencias capaces de animarla no están siempre en nuestro sentido; 2.º, una clase media que se ilustra lentamente, que empieza a tener necesidades, que desde este momento comienza a conocer que ha estado y está mal, y que quiere reformas, porque cambiando sólo puede ganar. Clase que ve la luz, que gusta ya de ella, pero que, como un niño, no calcula la distancia a que la ve: cree más cerca los objetos porque los desea: alarga la mano para cogerla; porque ni sabe los medios de hacerse dueño de la luz ni en qué consiste el fenómeno de la luz, ni que la luz quema cogida a puñados; 3.º, y una clase, en fin, privilegiada, poco numerosa, criada o deslumbrada en el extranjero, víctima o hija de las emigraciones, y que se asombra a cada paso de verse sola cien varas delante de las demás: hermoso caballo normando, que cree tirar de un tílburi y que, encontrándose con un carromato pesado que arrastrar, se alza, rompe los tiros y parte solo.»

El planteamiento está claro. Sólo hay una clase con conciencia histórica y futuro en la sociedad española: la clase media, única que ve la luz y trata de cogerla. Las otras dos: la aristocracia —Larra sólo admite la aristocracia del talento— y la clase privilegiada, en la que es fácil ver la burguesía de la época, o la alta intelectualidad liberal y afrancesada, y la masa, el *pueblo bajo*, están fuera —unos por exceso, otros por defecto— de la marcha progresiva de la historia. Esquema simple e injusto. Larra no ve en la burguesía una gran rotura con el antiguo régimen, las riendas de una revolución industrial y comercial en marcha, los inicios de la gran sociedad capitalista que va a hacer posible el liberalismo desaforado. La burguesía es, sin embargo, en estos momentos concretos de la Historia, la clase más revolucionaria. La situación de España, retrasada en algunos años respecto al ritmo del resto de las naciones europeas, justifica este error óptico.

Larra es un escritor mesocrático. No ve el proletariado. Ve una clase media, compuesta de empleados, que está deslumbrada por la clase alta, en cuyos salones intenta meter la cabeza en un dramático quiero y no puedo, y que no se resigna con su posición. De esta clase sacará los aguafuertes, tipos y costumbres de sus artículos más incisivos: el burócrata, el actor, el periodista, el político, el conspirador, el pretendiente. A la alta clase que pierde el tiempo en las fiestas e intrigas de la Corte le dedicará algunas crueles burlas; pero Larra siempre intentará colar un pie en los salones: es el tributo que paga a su refinamiento cortesano.

El pueblo bajo, embrutecido y muerto, las masas analfabetas que forman, en los burgos podridos, la mayor parte del país, carece de necesidades y de estímulos. Es la imagen de su criado: sólo comparable a un mueble, a un irracional que come, duerme y eructa; «también tiene dos ojos en la cara; él cree ver con ellos, ¡qué chasco se lleva!» Su criado: «A pesar de esta pintura, todavía será difícil reconocerlo entre la multitud, porque al fin no es sino un ejemplo de la grande edición hecha por la Providencia de la humanidad, y que yo comparo de buena gana con las que suelen hacer los autores: algunos ejemplares de regalo finos y bien empastados; el surtido, todo igual, ordinario y a la rústica.»

Sin embargo, esta legión desarrapada, hambrienta y sin luces, los torturables de Graham Greene, acompañan a Larra. «Fígaro» no se da cuenta de que estas masas, desde las barricadas, ya han intentado tomar el poder político en Francia e Inglaterra y que comienzan ya a sentir la fuerza de la solidaridad, pero *siente* su presencia. Es el pueblo que está como a brochazos y protestas, como una masa compacta e hiriente, en los sarcasmos de Goya; que acude a la plaza de la Cebada a ver la horca de un solo brazo donde los absolutistas cuelgan a los liberales, que forma en las milicias. Larra le ve, pero no se aproxima; está a su costado, pero no le habla. Larra, en aquel Madrid peligroso como un Fart West, piensa, quizá por miedo, que la revolución debe hacerse a través de la cultura y que aquella masa de casi hombres debe, antes que nada, aprender a leer.

Con todo, Larra no puede evitar que aquel pueblo que no se mueve por él, sino por influencias superiores, irrumpa violentamente alguna vez en sus escritos no como comparsa, sino exigiendo un sitio de protagonista. Es el baratero que ha matado a un compañero en duelo y que, condenado a muerte por su crimen, grita: «Mi día llegará, ¡oh! ¡falsa sociedad!, ¡oh! ¡sociedad incompleta y usurpadora! y llegará más pronto por tu culpa; porque mi cadáver será un libro, y un libro ese garrote vil, donde los míos, que ahora le miran estúpidamente sin comprenderlo, aprenderán a leer.»

Ese criado irracional, embrutecido, como un mueble, a quien Larra dice con desprecio: «Come y bebe de mis artículos», se levantará de pronto como la conciencia del escritor y le hará la acusación del pueblo, de la masa, a la minoría selecta que le vuelve la espalda:

«Hombre de partido, haces la guerra a otro partido, o cada vencimiento es una humillación, o compras la victoria demasiado cara para gozar de ella. ¿A mí quién me calumnia?, ¿quién me conoce? Tú me pagas un salario bastante a cubrir mis necesidades; a ti te paga el mundo como paga a los demás que le sirven. Te llamas liberal y despreocupado, y el día que te apoderes del látigo, azotarás como te han azotado.»

Amo y criado, a la mañana, yacían aquél en el lecho, éste en el suelo.

Por un momento, Larra había entendido. Pero fue sólo un momento. El más dramático de su vida de escritor.

LARRA Y LOS PERIODICOS

> *—Si usted es hombre que se cansa
> alguna vez, no sirve usted para perió-
> dicos...*
> *—Me dolía la cabeza...*
> *—Al buen periodista nunca le debe
> doler la cabeza.*
> (FIGARO: «Ya soy redactor».)
>
> *Ello no se puede negar que un perio-
> dista es un ser bien criado, si se atien-
> de a que no tiene voluntad propia.*
> (FIGARO: «El hombre pone y Dios
> dispone, o lo que ha de ser el perio-
> dista».)

Mariano José de Larra es, esencialmente, un
periodista. Se le considera no sólo ya el primer periodista de su tiempo, sino el iniciador
del moderno periodismo español. En los diarios
y revistas del Madrid de su época —de 1829 a

1837—, la «Revista Española», «El Español», «Mundo», «El Redactor General», etc., escribe artículos de costumbres, políticos, ensayos doctrinales, críticas de teatro, artículos satíricos. Lo más importante y permanente de la obra de Larra, por paradoja, ha sido dado a lo que él llamaba fugacidad y urgencia de los diarios. El mismo creó, pagó y distribuyó sus periódicos sin fechas, primero «El Duende Satírico del Día», después «El Pobrecito Hablador», siempre a caballo de la censura, temiendo la represión de los gobernantes o las iras de los políticos. Larra continúa, de la tradición inglesa del periodismo individualista, solitario, moral, la imagen del «Hablador» más o menos «pobrecito», introducida en España por Miñano en 1820 (*Cartas de un pobrecito Holgazán*) (1), practicada por Mesonero Romanos con el «Curioso Parlante» (cuyos panoramas matritenses elogia el mismo Larra en su obra) y seguida por «Fígaro» constantemente, sobre todo en sus cartas a un Bachiller. Las cartas o divagaciones personales sobre los más variados asuntos son utilizadas por Ganivet —las Cartas Finlandesas constituyen auténticas crónicas periodísticas desde el extranjero— y por toda la Generación del 98.

En el siglo XIX se lee poco —poco y mal, dirá

_____

(1) Léase una sucinta y concreta referencia a esto en *Síntesis de la Lengua y Literatura de la Hispanidad*, de ERNESTO GIMÉNEZ CABALLERO, Madrid, 1944.

Larra, que no está seguro tampoco, en su introducción a «El Pobrecito Hablador», de que el público lea para instruirse más que para divertirse— y se lee, esencialmente, lo que tiene interés político. La burla y la sátira interesan también si tienen alcance político. Todo el periodismo del siglo XIX —en el que sólo muy a finales, primero con la introducción de la primera rotativa en España, traída para «El Día» por el marqués de Riscal (1), después con la ampliación de técnicas extranjeras y la idea empresarial del periódico manejada por el fundador de «A B C», Luca de Tena, se vislumbra la gran prensa de hoy, informativa y multitudinaria— es política. Vive por y para los partidos. Doctrinario, especulativo, faccioso las más de las veces, dogmático siempre. Los periódicos sirven a la clase política y revolucionaria, en un momento en que las masas son analfabetas y no poseen personalidad histórica y en el que las técnicas de la información están sin desarrollar. Desde el «Robespierre», radical liberal, y el «Inquisidor sin máscara», reaccionario, publicados en los primeros años del levantamiento contra Napoleón (2), hasta «El

(1) No existe bibliografía ni abundante ni importante sobre este tema. Una obra interesante sobre el periodismo en el XIX es *El cuarto poder* (Cien años de periodismo español), por Antonio Espina, Madrid, Aguilar, 1960.

(2) Toreno, *Historia del levantamiento, guerra y revolución de España*, 1837.

Cencerro», «que la tenía tomada con las monjas y los frailes», toda la prensa española de esa centuria se va por el grito, la mordacidad, la sátira y hasta la calumnia. Un contemporáneo de Larra, Martínez Villergas, «El Tío Camorra», andaba a mandobles a cada paso por los insultos que imprimía en los periódicos. Larra, como periodista y escritor de periódicos, ha de entrar en este juego. Sin embargo, es el primero que se apercibe de la prensa como vehículo de cultura y progreso —concepto que hacía extensivo, por supuesto, a toda la Literatura— y como medio para deleitar al pueblo. Frente a la pesadez doctrinaria, incorpora un lenguaje vivo, del día, de la calle. El periódico no sólo ha de ser vehículo de progreso, sino que, como la Literatura, debe ser el reflejo de la época en que vive.

Larra, como toda la Generación del 98, aunque «sirvió» en los periódicos, rechaza el periodismo, los periódicos y los periodistas de su tiempo. Precisamente porque postulaba una prensa más objetiva, menos servil y más veraz que la que salía a las calles de Madrid en su tiempo. Postulaba, por lo menos protestaba, menos servidumbre ante el poder y más independencia de los intereses particulares. Ello le hace escribir sarcásticamente de los periódicos y los periodistas. «Ama Larra —dice Azorín— apasionadamente la libertad de la prensa; fue su vida toda una interminable y tenaz batalla contra la censura ejercida en su tiempo; la sutilidad y finura de su espíritu hizo que escaparan al lápiz del censor conceptos e ideas indiferentes en apariencia, pero tremendos en el fondo» (1). No impidió ello que muchos de sus artículos apareciesen mutilados y otros fuesen prohibidos. La figura del censor aparece retratada, en sus siniestras consecuencias, en su conocido artículo «La alabanza, o que me prohíban éste»: «¿Quién es, pues, me dirá, el que escribe para otro? Lo diré. En los países en que se cree que es dañoso que el hombre diga al hombre lo que piensa, lo cual equivale a creer que el hombre no debe saber lo que sabe y que las piernas no deben andar; en los países donde hay censura, en esos países es donde se escribe para otro, y ese otro es el censor. El escritor que, lleno ya un pliego de papel, lo lleva a casa de un censor, el cual le dice que no se puede escribir lo que él lleva ya escrito, no escribe ni siquiera para sí. No escribe más que para el censor.»

Sobre el respeto a las palabras escritas y su función liberadora, escribió Larra mucho, pero estas frases, publicadas en el prólogo a *Las palabras de un creyente,* de Lamennais, obra traducida por él, son reveladoras: «La mentira impresa y propalada cae por sí sola, y puede ser abatida con la palabra misma. Por el contrario, la verdad impresa y propalada triunfa, pero triunfa a fuerza de convencer, triunfa sin

(1) «Larra», en *Páginas escogidas,* Madrid, Calleja, 1917.

violentar, y éste es el más bello triunfo posible. En estos principios se apoya la libertad del pensamiento, y en este sentido no conocemos crimen mayor que el empeño que los gobiernos ponen en coartarla. No sólo privan de un derecho a su generación, sino que asesinan en su germen a su posteridad.»

¿Qué piensa Larra, en definitiva, de los periodistas, los periódicos, los censores? Por toda su obra hay referencias, concretas unas, veladas y ambiguas otras, a estos temas. En ocasiones los plantea abiertamente, sin miedo, con mordacidad y un lenguaje enteramente periodístico. La breve antología que aportamos a continuación es un no exhaustivo ni completo ejemplo de otra que se pudiera reunir con más espacio y tiempo.

Los periódicos

No le gustaban los periódicos de su tiempo. «Los periódicos son como los jóvenes de Madrid; no se diferencian sino en el nombre» («La vida de Madrid», 1834). Pero aún son peores los periódicos oficiales: «Haré merced a mis lectores de las más de mis meditaciones; no hay periódicos bastantes en Madrid, acaso no hay lectores bastantes tampoco. Dichoso el que tiene oficina, dichoso el empleado aun sin sueldo o sin cobrarlo, que es lo mismo: al menos no está obligado a pensar, puede fumar, puede leer la "Gazeta"» («La Nochebuena de 1836»).

«La Imprenta Nacional. Al revés que la Puerta del Sol. Este es el sepulcro de la verdad» («El día de Difuntos de 1836»).

¿Cómo deben ser? ¿Qué deben publicar los periódicos? Ante todo, deben ser veraces, porque «yo escribo para el público, y el público, digo para mí, merece la verdad» («Ya soy redactor»); después, deben ser amenos y realistas: «Cansado estoy ya de que me digan todas las mañanas en artículos muy graves todo lo felices que seríamos si fuésemos libres y lo que es preciso hacer para serlo. Tanto valdría decirle a un ciego que no hay cosa como ver.» «Como a aquellas horas no tengo ganas de dormir, dejo los periódicos» («La vida de Madrid»); y deben ser amenos y realistas, porque la gente lee para divertirse: «...porque en cuanto a aquello de instruirle, como suelen decir arrogantemente los que escriben de profesión o por casualidad para el público, ni tenemos la pretensión de creer saber más que él ni estamos muy seguros de que él lea con ese objeto cuando lee» («Dos palabras», introducción a «El Pobrecito Hablador»).

Pero sobre todo, los periódicos —que son «una escuela indispensable, si no un síntoma de la vida moderna»— deben decir la verdad. Por eso escribe sarcásticamente: «Sólo diremos que los primeros periódicos fueron gacetas; no nos admiremos, pues, si, fieles a su origen, si reconociendo su principio, los periódicos han conservado la afición a mentir que los distingue de las demás publicaciones desde los tiempos más remotos.»

En «Un periódico nuevo», satirizando los géneros y la literatura periodística de la época, traza L a r r a humorísticamente el periódico ideal. La transcripción de este artículo en la antología que publicamos en este libro nos excusa de hacer más referencias sobre él (1)

Los periodistas

No tienen voluntad propia; su condición moral es distinta a la de otras personas: «Eche de ver que como no fuese en la parte moral, lo que es en la exterior y palpable, tan persona es un periodista como un autor de folletos» («Ya soy redactor»). El periodista ha de tener: la pasta del asno para caminar sin caer en un sendero estrecho; la velocidad del gamo para huir en caso de apuro; la resistencia del camello para pasar semanas sin alimentarse; la vista del lince para conocer en la cara del que ha de disponer, lo que él debe poner; la habilidad del cangrejo para andar para atrás lo que ha andado de más para adelante; la inconsecuencia de la mujer. Como la caña ha de doblar la cerviz al viento y debe tener la resistencia de la piedra y la ductilidad del oro. («El hombre pone y Dios dispone, o lo que ha de ser el periodista»).

---

(1) V. p. 136 y ss. De este mismo libro.

Además, ha de ser poco metafísico y debe ser ameno: «¿Quién quiere usted que le lea, si no es jocoso, ni mordaz, ni superficial?» («Ya soy redactor»); debe saber esquivar al censor y no decir «lo que no se deba decir» y mantener una polémica refiriéndose más a la personalidad de su contrincante que al verdadero tema discutido («La polémica literaria»). Por lo demás, el periodista debe saber dar la cara y nunca escribir sin firmar, «con lo cual, ni los lectores, ni la ley, si ley hay aquí, tienen que quebrarse la cabeza en averiguar el nombre del que los divierte, o del que se ha de prender» («Fígaro a los redactores del mundo, en el mundo mismo o donde paren»).

La censura y la libertad de prensa

Que una y otra son lo mismo, pues el grado de censura o sus medidas reflejarán el estado o la existencia de libertad y viceversa. «Hecho mi examen de la ley, voy a ver mi artículo; con el reglamento de censura a la vista, con la intención que me asiste, no puedo haberlo infringido. Examino mi papel: no he escrito nada, no he hecho artículo, es verdad. Pero en cambio he cumplido con la ley» («Lo que no se puede decir, no se debe decir»). «Hace tanto tiempo que nos están diciendo que somos libres, que a veces uno mismo se lo llega a creer. Echa mano de un folleto, desparrama en él sus ideas como quien siembra y tiéndese a esperar la cosecha. ¿Pero qué dirás que cogió? El, nada. La autoridad fue la que cogió los folletos.» «Dejemos a un lado esas boberías de la libertad de imprenta, que se parece al dinero en lo indispensable, y en lo filosófico, que sin la una y sin lo otro vamos trampeando» («Dios nos asista»). «Por otra parte, acaso no sabrá vuesa merced que desde que tenemos una racional libertad de imprenta, apenas hay cosa racional de la que podamos racionalmente escribir» («Carta de «Fígaro» a un bachiller, su corresponsal»).

Pero la censura no la ejerce sólo el Estado o el Gobierno: «Señor director, ¿qué, se hicieron mis columnas? —Calle usted, me responde; ahí están, no han servido: esta noticia es inoportuna; la otra no conviene...» («Ya soy redactor»).

SONRISAS, LAGRIMAS, HUMOR NEGRO

> *Fígaro tenía un talento demasiado claro, un alma demasiado noble para no llorar, y lloraba de continuo, y cada uno de esos artículos que el público lee con carcajadas, eran otros tantos gemidos de desesperación que lanzaba a una sociedad corrompida y estúpida que no sabía comprender.*

> («El Español», 15 de febrero de 1837, en la muerte de Larra.)

Escribe Azorín que a Larra no le han visto sus coetáneos con una luz exacta. Les ocurrió con él lo mismo que a Cervantes con los suyos: en vez de pensar, ríen. De Larra queda, en los periódicos de su tiempo, la imagen de un hombre, de un escritor que intenta, ante todo, divertir, distraer. No está seguro él tampoco de que la gente, en cuya ambición cultural no cree, lea para otra cosa que para distraerse o pasar el rato. En realidad, Larra ve al país marginado de la cultura europea, sin literatura nacional ni periodismo respetable «¿No se lee en este país porque no se escribe, o no se escribe porque no se lee?», pregunta el «Pobrecito Hablador», para añadir sarcásticamente: «¡Oh felicidad de haber penetrado la inutilidad del aprender y del saber!» No hay escuelas, no hay ganas de crearlas, existe, lo que es peor, un atávico odio y desconfianza frente a la ilustración.

—Aprendan ustedes la lengua del país —les recomienda el «Pobrecito Hablador» a los batuecos—. Cojan la gramática.

—La *parda* es la que necesitamos —contesta «con aire zumbón y de chulo, fruta del país», el más desembarazado de ellos—. Lo mismo es decir las cosas de un modo que de otro.

—Escriban ustedes la lengua con corrección.

—¡Monadas! ¿Qué más dará escribir vino con b que con v? ¿Si pasara por eso de ser vino?

—Cultiven ustedes el latín.

—Yo no he de ser cura, ni tengo de decir misa.

—El griego...

—¿Para qué, si nadie me lo ha de entender?

—Las matemáticas...

—Ya sé sumar y restar, que es todo lo que puedo necesitar para ajustar mis cuentas.

Mientras la mayoría del público sea y piense así —y sólo le interese de la botánica las habas guisadas, y de zoología nada, porque «¡Ay!, si viera usted cuántos animales conozco ya!», y de mineralogía exclusivamente aquello que pueda darles una mina, y de letras «las de cambio», porque todo lo demás es broma— no encuentra Larra, escritor, otro camino de penetración que no sea la pura amenidad y el chiste. Es, ante los males de España, la postura del payaso: reír por fuera y llorar por dentro. Aunque al final llore por todas partes, en un increíble *streap teese* literario. El objetivismo de Larra, observador riguroso, está pasado por su subjetivismo. El mismo se atribuye los males y defectos que critica, en una quizá generosa intención de que el lector no se sienta malherido, y pasea por salones y plazas, como un Pobrecito, sus dolencias morales. Pero lo más seguro es que Larra ha recurrido a este medio de expresión, el humor, porque era lo más cercano que tenía a sí mismo y por intuición del carácter de sus coetáneos. Sólo podré reírme de ellos si comienzo la burla por hacérmela a mí mismo. Es un truco. También una forma definitiva de austeridad moral. La pirueta sublime del escritor: colocar un espejo para que sus lectores se miren en él y vean sus defectos y ridiculeces con una sonrisa en los labios. Posiblemente, sin que se den cuenta de ello: unas veces porque Larra generaliza lo suficiente para que nadie, individualmente, se sienta afectado, y otras porque, por exceso, su mordacidad es tan inaudita y sangrante, que provoca la risa en aquellos mismos a quienes va dirigida. ¡Este bufón de Larra! No se aperciben que hay un supremo gesto de elegancia en la postura. Reír por no asquearse. De pronto, se nos aparece, en algunos momentos, el humor de Larra como una cortesía que oculta un definitivo desprecio.

Larra humorista. Azorín parece tener una apreciación poco grata, por no aceptarla como rasgo definitorio de Larra, de esta considera- ción: «¿Quién juzgaría hoy a Larra así? ¿Quién hablaría de risas y de carcajadas?» Hay implí- cito en esto un insuficiente concepto del hu- morismo como comicidad. Hoy lo entendemos, realmente, de otro modo. El humorismo es la forma más noble de la crítica. Hay que apresu- rarse a decir que en Larra el humor no es un rasgo, una característica, una manera, sino que es su propia identidad: Larra es humor, el dra- ma y la rebeldía hecha humor. ¿No es el sui- cidio un rasgo trágico de humor y una forma última y categórica de denuncia?

Evaristo Acevedo se refiere, concretamente, a Larra como el primer periodista de humor de España (1): «Sólo reconoce un partido: Espa- ña. Una consigna: la defensa de la verdad. Y para realizar esta misión y contribuir al bien de su país, no va a usar tonos engolados, fra-

_____

(1) Véase el interesante capítulo «Larra, primer periodista de humor», de su libro *Teoría e interpreta- ción del humor español*, Madrid, Ed. Nacional, 1966.

ses retóricas, filosóficos conceptos de difícil comprensión. Quiere ser leído por todos. Trata de «agradar al mayor número posible de lectores». Unicamente hay un camino para conseguirlo: el empleo, alternativamente, de la sátira y la ironía. Estamos ante un gran humorista que acaba de exponer su íntima estética. También le acusarán de «falta de ternura», igual que a Quevedo, su maestro, sin comprender que su ternura consiste en el amor a España.» Y ¿cuál es la íntima estética de Larra? Acevedo trascribe los propósitos del escritor citando sus mismas frases: «Independiente en mis opiniones, sin pertenecer a ningún partido de los que miserablemente nos dividen, no ambicionando ni de un ministerio ni de otro ninguna especie de destino, no tratando de figurar por ningún estilo, estoy escribiendo hace años y no tuve nunca más objeto que el de contribuir en lo poco que pudiese al bien de mi país, tratando de agradar al mayor número posible de lectores; para conseguirlo creí que no debía defender más que la verdad y la razón; creí que debía combatir, con las armas que me siento aficionado a manejar, cuanto en mi conciencia fuese incompleto, malo, injusto, ridículo.»

El propósito de Larra de incorporar la amenidad, la gracia, el humor para zaherir la ridiculez de las cosas, hay que añadir que quedó expuesto, como ya señalamos en el capítulo de Larra y los periódicos, en la presentación de

«El Pobrecito Hablador»: «Consideramos la sátira de los vicios, de las ridiculeces y de las cosas útil, necesaria y sobre todo muy divertida.» Y resume, más adelante: «Reírnos de las ridiculeces, ésta es nuestra divisa; ser leídos, éste es nuestro objeto; decir la verdad, éste es nuestro medio.» Esta es su estética. En cuanto a su ética, se compone de un principio de respeto a la intimidad de las personas —«sólo protestamos que nuestra sátira no será nunca personal»— y de una desvergüenza: se apoderará, sin escrúpulo alguno, del humor de los demás siempre que lo considere mejor y más oportuno: «...de modo que habrá artículos que sean una capa ajena con embozos nuevos. Además, ¿quién nos podrá negar que semejantes artículos nos pertenezcan después que los hayamos robado?» Esta especie de «derecho de conquista» por apropiación, por reelaboración de lo ajeno, la hace Larra extensiva al teatro, en su artículo «Vindicación», al contestar a una acusación de plagio de su obra *No más mostrador:* «Es de advertir que siempre que escriba sobre un asunto que haya tratado otro escritor, al cual yo me crea inferior, pienso hacer otro tanto (incorporar a su producción escenas enteras no propias si lo cree conveniente) y seguir llamando original a lo que de aquí resulte.»

Larra incorpora a los periódicos un lenguaje vivo, palpitante, actual, vertebral en cualquier estilo de humor. Las palabras tienen para él una capacidad funcional, lejos de las funerarias de los diccionarios; vale lo que tiene carga expresiva. Recurre a menudo a las frases hechas, a los tópicos coloquiales, para señalar todo un repertorio de atrasos morales y materiales, porque detrás de esas expresiones se oculta toda una desidia colectiva: «En este país», «Por ahora», «Vuelva usted mañana», «Nadie pase sin hablar con el portero», son locuciones que ya en sí mismas llevan una denuncia. Véase el ejemplo de la capacidad de disculpa que proporciona al país el empleo del «Por ahora»:

«Lluevan sobre ellos en buena hora demandas y peticiones, renuévese la tabla de los derechos, clamen por todas partes tribuna y periódicos por la libertad de imprenta; no le responderán a usted con un *no* seco, sino que *por ahora*, no conviene.»

«Venga usted a decirme que el sistema judicial no es gran cosa. Que cada uno multa como le da la gana y juzga como le parece. Pero es *por ahora*, no más.»

«Que hay confusión de poderes, de palabras y de cosas; que no nos entendemos; que es una verdadera Babel; que no andamos un paso, un solo paso; pero eso es *por ahora*.»

Esta denuncia del idioma como instrumento de inmovilización de fuerzas, como dialéctica conservadora, es uno de los grandes aciertos lingüísticos de Larra. Por lo demás, él se sitúa como satírico, su dispositivo mental busca la sátira como fórmula: «Somos satíricos porque queremos criticar abusos, porque quisiéramos contribuir con nuestras débiles fuerzas a la perfección posible de la sociedad a la que tenemos la honra de pertenecer.» Pero el oficio de satírico es difícil: «Supone el lector, en quien acaba un párrafo mordaz de provocar la risa, que el escritor satírico es un ser consagrado por la naturaleza a la alegría y que su corazón es un foco inextinguible de esa misma jovialidad que a manos llenas prodiga a sus lectores. Desgraciadamente, y es lo que éstos no saben siempre, no es así. Ese mismo don de la naturaleza de ver las cosas tales cuales son, y de notar antes en ellas el lado feo que el hermoso, suele ser su tormento.»

Larra posee una maestría excepcional para dar a entender lo contrario de lo que está diciendo, para colocarse y aceptar aquella situación que, precisamente, pretende criticar: es la ironía. Una ironía, como señala Antonio Igual Ubeda, «mordaz, exacerbada a veces por el escepticismo» (1):

«¡Mal haya, amén, quien inventó el escribir! Dale con la civilización, y vuelta con la ilustración. ¡Mal haya, amén, tanto achaque para emborronar papel! A bien, Andrés mío, que aquí no pecamos de ese exceso. Y torna los ojos a mirar en derredor nuestro, y mira si no estamos en una balsa de aceite. ¡Oh infeliz modera-

---

(1) *El Romanticismo*, Barcelona, Seix y Barral, 1944 capítulo titulado «El Romanticismo español»

ción! ¡Oh ingenios limpios los que no tienen que enseñar! ¡Oh entendimientos claros los que nada tienen que aprender! ¡Oh felices aquellos, y mil veces felices, que o todo se lo saben ya o todo se lo quieren ignorar todavía!»

«¡Maldito Gutenberg! ¡Qué genio maléfico te inspiró tu diabólica invención? ¿Pues imprimieron los egipcios y los asirios, ni los griegos ni los romanos? ¿Y no vivieron y no dominaron? *(Carta a Andrés, escrita desde Las Batuecas por «El Pobrecito Hablador».)*

«Otra prueba de que es cosa buena la policía es su existencia no sólo en Roma y en Portugal, sino también en Austria, y sobre todo en la parte de Italia sujeta a aquel imperio, donde es delito a los ojos de la policía haber a las manos un papel francés. Así son los italianos tan felices, así se hacen lenguas del emperador de Austria. Oigase otro ejemplo. Ahí está la Polonia, que debe su actual felicidad, ¡vaya si es feliz!, a la policía rusa. Que la policía es, pues, una institución liberal, se deduce claramente de su existencia en Austria y en Polonia; y si nos venimos más acá, veremos que en Francia la instaló Bonaparte, uno de los amigos más acérrimos de la libertad; y tanto, que él tomó para sí toda la que pudo coger a los pueblos que sujetó.» *(La policía.)*

«Mucho me agrada cuanto me dices acerca de las Batuecas; son, efectivamente, muchas las ventajas que llevan a otros países, como dices muy bien en tus números, no sé cuántos, que esto es material: al fin es mi país y tengo en eso fundada mi vanidad, aunque no hay un motivo. Convengo sobre todo contigo en que a los Batuecos no les falta más que hablar, que es precisamente lo mismo que suele decir un amigo mío de cierto sujeto que tú conoces, que es tonto y feo, y además pícaro, y un si es no es tartamudo.» *(Carta de Andrés Niporesas al Bachiller.)*

He aquí unos ejemplos de la mordacidad de Larra que firmaría el mismo Oscar Wilde:

«Por nuestra patria, efectivamente, no pasan días; bien es verdad que por ella no pasa nada; ella es, por el contrario, la que suele pasar por todo.»

«Siempre resulta de lo dicho que por la España no pasan días: nuestra patria, siempre la misma; siempre jugando a la gallina ciega con su felicidad.» *(Ventajas de las cosas a medio hacer.)*

«Con respecto a la historia de España que me pides, como me dices que ha de ser buena, no te la puedo enviar, porque no la he encontrado.»

«Lo que sí debe aprender es el arte de tener razón, es decir, la esgrima.» *(Carta última de Andrés Niporesas al Bachiller.)*

«Yo no sé si la Humanidad bien considerada tiene derecho a quejarse de ninguna especie de murmuración ni si se puede decir de ella todo el mal que se merece; pero como hay millares de personas pseudofilantrópicas, que al defender la humanidad parece que quieren en cierto modo indemnizarla de la desgracia de tenerlos por individuos, no insistiré en este pensamiento.» *(Un reo de muerte.)*

«La diferencia que existe entre los necios y los hombres de talento suele ser sólo que los primeros dicen necedades y los segundos las hacen.» *(El duelo.)*

«Un periodista presume que el público está reducido a sus suscriptores, y en este caso no es grande el público de los periodistas españoles.» *(Quién es el público y dónde se encuentra.)*

«He aquí nuestra época y nuestras costumbres. Los hombres ya no saben sino hablar como las mujeres en congresos y en corrillos. Y las mujeres son hombres: ellas son las únicas que conquistan.» *(La Nochebuena de 1836.)*

«El Pobrecito Hablador», o «Fígaro», o Larra, están constantemente en la calle, en la sociedad y entre la gente. Por eso la soledad interior de Larra es mayor y más dramática. Larra es un periodista que vive allí donde se produce la noticia, es decir, lo que defina de alguna manera a España. El se coloca en una situación de observación, que no excluye el compromiso, de cronista: «Yo vengo a ser lo que se llama en el mundo un buen hombre, un infeliz, un pobrecillo, como ya se echará de ver en mis escritos;

no tengo más defectos, o llámese sobra si se quiere, que hablar mucho, las más de las veces sin que nadie me pregunte mi opinión; váyase porque otros tienen el no hablar nada, aunque se les pregunte la suya. Entrométome en todas partes como un pobrecito y formo mi opinión y la digo, venga o no al caso, como un pobrecito.» De este entrometimiento extrae Larra sus visiones de la España colectiva, de la España negra, de la España del día y tente tieso. Un primer lugar descubierto, la fosa común de nuestra vida pública, a la que irán, incansablemente, a sacar sus pinturas los del Noventa y Ocho, aunque ésta es generación andariega y de paisaje ancho: el café. En el café de Larra están todos los antecedentes del café de Ramón. Larra es un Ramón menos estético y más politizado, porque no utiliza las costumbres y los modos y palabras de pueblo para sacar de ellos una estética, sino una ética revolucionaria. En parte, a los del 98, por ejemplo, les hubiera gustado conservar inmóvil, como en museo, para fecundar su casticismo literario, muchas cosas de España y sus costumbres. Como Larra es un castizo radical, un bárbaro ibérico ilustrado, un Buñuel de su tiempo, lo que desea es cambiarlas, o destruirlas, salvo las ruinas y monumentos históricos.

«El Duende Satírico», Larra, va al café con una libreta y allí se cansa de describir y observar tipos, costumbres y raleas. Larra es un hombre de café, conspiró en los del Madrid de su tiempo —sobre todo en el del Príncipe y el del Parnasillo—, la mayoría de ellos sórdidos y gritones, y perteneció a u n a agrupación, la «Partida del trueno» —Espronceda, Escosura, Bretón, Madrazo, Olózaga, etc.—, caracterizada por sus polémicas y bromas pesadas. En el café se le revela a Larra España: el tipo vanidoso «indolentemente tirado sobre su silla, meneando muy de prisa una pierna sin saber por qué, sin fijar la vista particularmente en nada, como hombre que no se considera al nivel de las cosas que ocupan a los demás»; el subalterno vestido de paisano, «que se conocía que huía de que le vieran, sin duda porque le estaba prohibido andar en aquel traje, al que hacían traición unos bigotes que no dejaba un instante de la mano, y los torcía, y los volvía a retorcer, como quien hace cordón»; el literato —«a lo menos le vendían por tal unos anteojos sumamente brillantes, por encima de cuyos cristales miraba, sin duda porque veía mejor sin ellos, y una caja llena de rapé, de cuyos polvos, que sacaba con bastante frecuencia y que llevaba a las narices con el objeto de descargar la cabeza, que debía tener pesada del mucho discurrir, tenía cubierto parte de la mesa...»— hablando mal de la literatura y del país con estas tétricas palabras: «¡Maldita sea la luz! ¡Cuánto mejor viviríamos a oscuras que alumbrados por esos candiles de la literatura!»; el descarado y pretencioso («Es un joven, como usted ve, muy elegante, que viene a tomar todos los días café, «ponch», ron en abundancia, almuerzo, jamón, aceitunas; que convida a varios, habla mucho de dinero y siempre me dice al salir, con una cara muy amistosa y al mismo tiempo de imperio: «Mañana le pediré a usted la cuenta»); los que pasan el día «en dar tacazos a una bola al ronco y estrepitoso ruido del bombo, acompañado del continuo gritar «El 1, el 2», etc., y en herir los oídos de las personas sensatas; el que desprecia a la vieja que le pide cinco céntimos después de haber hecho ostentación de dinero; los que siempre, a cualquier hora, discuten y discuten sobre los temas más inocuos. Es una España fundamentalmente que «pierde el tiempo». Y esto le desazona. Larra se ríe. Pero un día sale del café «sin ninguna gana de reír de mis observaciones como otros días, aunque siempre convencido de que el hombre vive de ilusiones y según las circunstancias». Es que se ha dado cuenta de que aquello es una sangría de la vida nacional. Se duerme pensando que el sueño es «lo único que no es quimera en este mundo». Este café de Larra vive permanentemente en nuestra literatura, es la cantera de tipos, descripciones, del humor amargo.

La capacidad de Larra para aplicar a los tipos que contempla el caleidoscopio de su humor es infinita. He aquí cuántas clases de «calaveras» encuentra en Madrid: el «silvestre» —hombre de la plebe, sin educación ninguna y sin modales es el capataz del barrio, tiene aire de jaque, habla andaluz—; el «doméstico» —«admite diferentes grados de civilización, y su cuna, su edad, su profesión, su dinero, le subdividen después en diversas castas»—; el «lampiño» —«sus padres no pudieron hacer carrera con él: le metieron en el colegio para quitárselo de encima y hubieron de sacarle porque no dejaba allí cosa con cosa»—; el «tramposo» o trapalón, el que hace deudas, el parásito, el que comete a veces picardías, el que empresta para no devolver; el «viejo-calavera», planta como la caña, hueca y árida con hojas verdes»; etc., etc. ¿No hay todo un antecedente de nuestro humor contemporáneo basado en la descripción de tipos españoles?

Gusta Larra de ver la Villa y Corte como salón de picardía, covacha de usureros, antecámara de políticos, mercado de puterías, suciedades y chascarrillos y, sarcásticamente, no deja de aconsejar a sus corresponsales la mejor fórmula para el triunfo en semejante feria de vanidades y falsedades:

«Es de primera necesidad que se vista de majo y eche un cuarto a espadas en cualquier funcioncilla de toros extraordinaria que entre señoritos aficionados se celebre, que sí se celebrará; con estas dos cosas (la otra es saber esgrima, para tener razón) será una columna de la patria y un modelo del buen tono, según los usos del día. Y aun si pudiera ser, tener pantalón *colan* y sombrero *clac;* si pudiera ser, además, que pase la mañana haciendo visitas y dejando cartoncitos de puerta en puerta, la tarde haciendo ganas de comer y atropellando a amigos en un caballo cuellilargo y sin rabo, condición sine qua non la primera noche silbando alguna comedia buena, y la madrugada de raout en raout, perdiendo al ecarté su dinero y el de sus acreedores, sería doblemente considerado de las gentes del gran mundo y atendido de las personas sensatas del siglo...»

En su artículo «Varios caracteres», traza «Fígaro» los de algunos personajes de la fauna española que aún siguen vivos y coleando y salen todos los días, porque existen, en las páginas de humor de periódicos y revistas. He aquí el del tertuliano enterado:

—¿«De qué habla D. Cosme? Lo diré: D. Cosme viene de la calle de la Paz: allí acude todos los días a las ocho de la mañana; alarga una mano a la banasta de los periódicos: es un parroquiano a la lectura de papeles de a cuarto. Hoy la «Revista», mañana el «Boletín»... Gran noticioso. Ese sabe siempre a punto fijo, de muy buena tinta, los pormenores de la última batalla: sabe si D. Miguel está en Coimbra, en Lisboa o en Badajoz; entiende muy bien la marcha de Nicolás, que así llama él con franqueza al autócrata ruso. Suele sucederle luego que los que él supuso entrar vencedores en un punto, entraron en él prisioneros; pero todo es entrar. Estos hombres hablan siempre al oído; contraen la costumbre de suponerse espiados por las grandes cosas que creen decir; de resultas, si le encuentran a usted, le dirán al oído muy secretamente: Buenos días; beso a usted la mano.»

Todos los artículos de Larra cumplen lo que César, maestro de articulista, pedía para valorarlos como obras buenas: media verónica de ingenio. En Larra hay siempre un trallazo, media verónica, un pistoletazo de gracia, como una carcajada siniestra en mitad de un funeral; hay, más que media verónica, un bajonazo al toro, un rasgo definitivo, premonitorio, de humor negro. Humor negro: el hobby esperpéntico de nuestro tiempo, la sonrisa mecánica del siglo veinte, la última definición de la inteligencia o del corazón pasado por el cerebro: reírse de lo que, en palabras de Evaristo Acevedo, ha servido a otros para hacer llorar.

El humor negro, como casi todo, como casi siempre, está por estudiar en Larra. Yo he encontrado indicios «negros», sarcásticos, siniestros de tanta ternura, en el Larra de la «Carta a Andrés escrita desde las Batuecas por "El Pobrecito Hablador"», en aquella vieja, símbolo de la España de entonces, que leía, pero tan despacio «y con tal sorna que, habiéndose ido atrasando en la lectura, se hallaba en el año 29, que fue cuando yo la conocí, en las Gacetas del año 23». La vieja que en el año 29 cree hallarse en el 23 se arroja en los brazos de «Fígaro»: «¡Bendito sea Dios, que ya vienen los franceses, y que dentro de poco nos han de quitar esta pícara Constitución, que no es más que un desorden y una anarquía!»

«No sabemos —dice Larra— lo que tenemos con nuestra feliz ignorancia.»

ANTOLOGIA

EL DIA DE DIFUNTOS DE 1836

FÍGARO EN EL CEMENTERIO

...¡Día de difuntos!, exclamé, y el bronce herido que anunciaba con lamentable clamor la ausencia eterna de los que han sido, parecía vibrar más lúgubre que ningún año, como si presagiase su propia muerte. Ellas también, las campanas, han alcanzado su última hora, y sus tristes acentos son el extertor del moribundo: ellas también van a morir a manos de la libertad, que todo lo vivifica, y ellas serán las únicas en España, ¡santo Dios!, que morirán colgadas. ¡Y hay justicia divina!

La melancolía llegó entonces a su término por una reacción natural cuando se ha agotado una situación, ocurrióme de pronto que la melancolía es la cosa más alegre del mundo para los que la ven y la idea de servir yo entero de diversión... ¡Fuera!, exclamé, fuera, como si estuviera viendo representar a un actor español; fuera, como si oyese hablar a un orador en las Cortes, y arrojéme a la calle; pero, en realidad, con la misma calma y despacio como si tratase de cortar la retirada a Gómez.

Dirigíanse las gentes por las calles en gran número y larga procesión, serpenteando de unas en otras como largas culebras de infinitos colores: ¡Al cementerio, al cementerio! ¡Y para eso salían de las puertas de Madrid!

Vamos claros, dije yo para mí, ¿dónde está el cementerio? ¿Fuera o dentro? Un vértigo espantoso se apoderó de mí, y comencé a ver claro. El cementerio está dentro de Madrid. Madrid es el cementerio. Pero vasto cementerio donde cada casa es el nicho de una familia, cada calle el sepulcro de un acontecimiento, cada corazón la urna cineraria de una esperanza o de un deseo.

Entonces, y en tanto que los que creen vivir acudían a la mansión que presumen de los muertos, yo comencé a pasear con toda la devoción y recogimiento de que soy capaz las calles del grande osario.

Necios, decía a los transeúntes, ¿os movéis para ver muertos? ¿No tenéis espejos, por ventura? ¿Ha acabado también Gómez con el azogue de Madrid? ¡Miraos, insensatos, a vosotros mismos, y en vuestra frente veréis vuestro propio epitafio! ¿Vais a ver a vuestros padres y a vuestros abuelos, cuando vosotros sois los muertos? Ellos viven, porque ellos tienen paz; ellos tienen libertad, la única posible sobre la tierra, la que da la muerte; ellos no pagan contribuciones que no tienen; ellos no serán alistados ni movilizados; ellos no son presos ni denunciados; ellos, en fin, no gimen bajo la jurisdicción del celador del cuartel; ellos son los únicos que gozan de la libertad de imprenta, porque ellos hablan al mundo. Hablan con voz bien alta, y que ningún jurado se atreverá a encausar y a condenar. Ellos, en fin, no reconocen más que una ley, la imperiosa ley de la naturaleza que allí los puso, y ésa la obedecen.

¿Qué monumento es éste?, exclamé al comenzar mi paseo por el vasto cementerio.

¿Es él mismo un esqueleto inmenso de los siglos pasados o la tumba de otros esqueletos? ¡Palacio! Por un lado mira a Madrid, es decir, a las demás tumbas; por otro mira a Extremadura, es decir, a la provincia virgen..., como se ha llamado hasta ahora. Al llegar aquí me acordé del verso de Quevedo:

Y ni los v... ni los diablos veo.

En el frontispicio decía: «Aquí yace el trono; nació en el reinado de Isabel la Católica, murió en La Granja de un aire colado.» En el basamento se veían cetro y corona y demás ornamentos de la dignidad real. La «legitimidad», figura colosal de mármol negro, lloraba encima. Los muchachos se habían divertido en tirarle piedras, y la figura maltratada llevaba sobre sí las muestras de la ingratitud.

Y este mausoleo a la izquierda. «La armería». Leamos:

«Aquí yace el valor castellano, con todos sus pertrechos. R. I. P.

Dos ministerios: aquí yace media España; murió de la otra media.

Doña María de Aragón. Aquí yacen los tres años.»

Y podía haberse añadido: aquí callan los tres años. Pero el cuerpo no estaba en el sarcófago; una nota al pie decía: «El cuerpo del santo se trasladó a Cádiz en el año 23, y allí, por descuido, cayó al mar.»

Y otra añadía, más moderna, sin duda: «Y resucitó al tercer día.»

Más allá: ¡Santo Dios! «Aquí yace la Inquisición, hija de la fe y del fanatismo: murió de vejez.» Con todo, anduve buscando alguna nota de resurrección:

o todavía no la habían puesto o no se debía poner nunca.

Alguno de los que se entretienen en poner letreros en las paredes había escrito, sin embargo, con yeso en una esquina, que no parecía sino que se estaba saliendo, aun antes de borrarse: «Gobernación». ¡Qué insolentes son los que ponen letreros en las paredes! Ni los sepulcros respetan.

¿Qué es esto? «¡La cárcel! Aquí reposa la libertad del pensamiento.» ¡Dios mío, en España, en el país ya educado para instituciones libres! Con todo, me acordé de aquel célebre epitafio y añadí involuntariamente:

Aquí el pensamiento reposa,
en su vida hizo otra cosa.

Dos redactores del «Mundo» eran las figuras lacrimatorias de esta grande urna. Se veían en el relieve una cadena, una mordaza y una pluma. Esta pluma, dije para mí, ¿es la de los escritores o la de los escribanos? En la cárcel todo puede ser.

«La calle de Postas, la calle de la Montera.» Estos no son sepulcros. Son osarios, donde, mezclados y revueltos, duermen el comercio, la industria, la buena fe, el negocio.

Sombras venerables, ¡hasta el valle de Josafat!

«Correos. ¡Aquí yace la subordinación militar!» Una figura de yeso sobre el vasto sepulcro ponía el dedo en la boca; en la otra mano, una especie de jeroglífico hablaba por ella: una disciplina rota.

«Puerta del Sol». La Puerta del Sol: ésta no es sepulcro sino de mentiras.

«La Bolsa. Aquí yace el crédito español.» Semejante a las pirámides de Egipto, me pregunté, ¡es posible que se haya erigido este edificio sólo para enterrar en él una cosa tan pequeña!

«La imprenta nacional.» Al revés que la Puerta del Sol. Este es el sepulcro de la verdad. Unica tumba de nuestro país donde a uso de Francia vienen los concurrentes a echar flores.

«La Victoria. Esa yace para nosotros en toda España.» Allí no había epitafio. No había monumento. Un pequeño letrero que el más ciego podía leer decía sólo: «¡Este terreno lo ha comprado a perpetuidad para su sepultura la junta de enajenación de conventos!»

¡Mis carnes se estremecieron! Lo que va de ayer a hoy. ¿Irá otro tanto de hoy a mañana?

«Los teatros. Aquí reposan los ingenios españoles.» Ni una flor, ni un recuerdo, ni una inscripción.

«El salón de Cortes.» Fue casa del Espíritu Santo; pero ya el Espíritu Santo no baja al mundo en lenguas de fuego.

Aquí yace el Estatuto.
Vivió y murió en un minuto

Sea por muchos años, añadí, que sí será: éste debió de ser raquítico, según lo poco que vivió.

«El Estamento de Próceres.» Allá en el Retiro. Cosa singular. ¡Y no hay un ministerio que dirija las cosas del mundo, no hay una inteligencia provisora, inexplicable! Los próceres y su sepulcro en el Retiro.

El sabio en su retiro y el villano en su rincón.

Pero ya anochecía y también era hora de retiro para mí. Tendí una última ojeada sobre el vasto cementerio. Olía a muerte próxima. Los perros ladraban con aquel aullido prolongado, intérprete de su instinto agorero; el gran coloso, la inmensa capital toda ella se removía como un moribundo que tantea la ropa: entonces no vi más que un gran sepulcro:

una inmensa lápida se disponía a cubrirle como una ancha tumba.

No había «Aquí yace» todavía; el escultor no quería mentir, pero los nombres del difunto saltaban a la vista perfectamente delineados.

¡Fuera, exclamé, la horrible pesadilla, fuera! ¡Libertad! ¡Constitución! ¡Tres veces! ¡Opinión Nacional! ¡Emigración! ¡Vergüenza! ¡Discordia! Todas estas palabras parecían repetirme a un tiempo los últimos ecos del clamor general de las campanas del día de difuntos de 1836.

Una nube sombría lo envolvió todo. Era la noche. El Frío de la noche helaba mis venas. Quise salir violentamente del horrible cementerio. Quise refugiarme en mi propio corazón, lleno no ha mucho de vida, de ilusiones, de deseos.

¡Santo Cielo! También otro cementerio. Mi corazón no es más que otro sepulcro. ¿Qué dice? Leamos: ¿Quién ha muerto en él? ¡Espantoso letrero! «¡Aquí yace la esperanza!»

¡Silencio, silencio!

LA VIDA DE MADRID

El joven que voy a tomar por tipo general es un muchacho de regular entendimiento, pero que posee, sin embargo, más doblones que ideas, lo cual no parecerá inverosímil si se atiende al modo que tiene la sabia naturaleza de distribuir sus dones. En una palabra, es rico sin ser enteramente tonto. Paseábame días pasados con él, no precisamente porque nos estreche una gran amistad, sino porque no hay más que dos modos de pasear: o solo o acompañado. La conversación de los jóvenes más suele pecar de indiscreta que de reservada: así fue que a pocas preguntas y respuestas nos hallamos a la altura de lo que se llama en el mundo franqueza, sinónimo casi siempre de imprudencia. Preguntóme qué especie de vida hacía yo, y si estaba contento con ella. Por mi parte, pronto hube despachado: a lo primero le contesté: «Soy periodista; paso la mayor parte del tiempo, como todo escritor público, en escribir lo que no pienso y en hacer creer a los demás lo que no creo. ¡Como sólo se puede escribir alabando! Esto es, que mi vida está reducida a querer decir lo que otros no quieren oír!» A lo segundo, de si estaba contento con esta vida, le contesté que estaba por lo menos tan resignado como lo está con irse a la gloria el que se muere.

¿Y usted?, le dije. ¿Cuál es su vida en Madrid? Yo, me repuso, soy muchacho de muy regular fortuna; por consiguiente, no escribo. Es decir..., escribo...; ayer escribí una esquela a Borrel para que me enviase cuanto antes un pantalón de patincour que me tiene hace meses por allá. Siempre escribe uno algo. Por lo demás, le contaré a usted.

Yo no soy amigo de levantarme tarde; a veces madrugo; días hay que a las diez ya estoy en pie. Tomo té y alguna vez chocolate; es preciso vivir con el país. Si a estas horas ha aparecido ya algún periódico, me lo entra mi criado, después de haberlo ojeado él; tiendo la vista por encima; leo los partes, que se me figura siempre haberlos leído ya; todos me suenan a lo mismo; entra otro, lo cojo, y es la segunda edición del primero. Los periódicos son como los jóvenes de Madrid, no se diferencian sino en el nombre. Cansado estoy ya de que me digan todas las mañanas en artículos muy graves todo lo felices que seríamos si fuésemos libres y lo que es preciso hacer para serlo. Tanto valdría decirle a un ciego que no hay cosa como ver.

Como a aquellas horas no tengo ganas de volverme a dormir, dejo los periódicos, me rodeo al cuello un echarpe, me introduzco en un surtú y a la calle. Doy una vuelta a la Carrera de San Jerónimo, a la calle de Carretas, del Príncipe y de la Montera, encuentro en un palmo de terreno a todos mis amigos, que hacen otro tanto, me paro con todos ellos, compro cigarros en un café, saludo a alguna asomada y me vuelvo a casa a vestir.

¿Está malo el día? El capote de barragán: a casa de la marquesa hasta las dos; a casa de la condesa hasta las tres, o tal otra casa hasta las cuatro; en todas partes voy dejando la misma conversación; en donde entro oigo hablar mal de la casa de donde vengo, y de la otra a donde voy; ésta es toda la conversación de Madrid.

¿Está el día regular? A la calle de la Montera. A ver a la Gallarde o a Tomás. Dos horas, tres horas, según. Mina, los facciosos, la que pasa, el sufrimiento y las esperanzas.

¿Está muy bueno el día? A caballo. De la Puerta de Atocha a la de Recoletos, de la de Recoletos a la de Atocha. Andando y desandando este camino muchas veces, una vuelta a pie. A comer a Genieys o al Comercio; alguna vez en mi casa; las más, fuera de ella.

¿Acabé de comer? A Solito. Allí dos horas, dos cigarros y dos amigos. Se hace una segunda edición de la conversación de la calle de la Montera. ¡Oh!, y felizmente esta semana no ha faltado materia. Un poco se ha ponderado, otro poco se ha... Pero en fin, en un país donde no se hace nada, sea lícito al menos hablar.

—¿Qué se da en el teatro?, dice uno.

—Aquí: 1.°, sinfonía; 2.°, pieza del célebre Scribe; 3.°, sinfonía; 4.°, pieza nueva del fecundo Scribe; 5.°, sinfonía; 6.°, baile nacional; 7.°, la comedia nueva en dos actos, traducida también del ingenioso Scribe; 8.°, sinfonía; 9.°, ...

—Basta, basta; ¡Santo Dios!

—Pero chico, ¿qué lees ahí? Si ése es el diario de ayer.

—Hombre, parece el de todos los días.

—So, aquí es Guillermo hoy.

—¿Guillermo? ¡Oh, si fuera ayer! ¿Y allá?

—Allá es el teatro de la Cruz. Cualquier cosa.

—A mí me toca el turno aquí. ¿Sabe usted lo que es tocar el turno?

—Sí, sí, respondo a mi compañero de paseo; a mí también me suele tocar el turno.

Pues bien, subo al palco un rato. Acabado el teatro, si no es noche de sociedad, al café otra vez a disputar un poco de tiempo al dueño. Luego, a ninguna parte. Si es noche de sociedad, a vestirme; gran tualeta. A casa de E... Bonita sociedad, muy bonita. Ello sí, las mismas de la sociedad de la víspera, y del lunes, y de..., y las mismas de las visitas de la mañana, del Prado, y del teatro, y..., pero lo bueno nunca se cansa uno de verlo.

—¿Y qué hace usted en la sociedad?

—Nada; entro en la sala, paso al gabinete, vuelvo a la sala, entro al ecarté, vuelvo a entrar en la sala, vuelvo a salir al gabinete, vuelvo a entrar en el ecarté...

—¿Y luego?

—Luego a casa, y ¡buenas noches!

Esta es la vida que de sí me contó mi amigo. Después de leerla y de releerla, figurándome que no he ofendido a nadie, y que a nadie retrato en ella, e inclinándome casi a creer que por ella no tendré ningún desafío, aunque necios conozco yo para todo, trasládola a la consideración de los que tienen apego a la vida.

LA POLICIA

...Sabido esto, pocas hay que se puedan comparar con la policía. Por de pronto, su origen está en la naturaleza; la policía se debe al miedo, y el miedo es cosa tan natural, que, poco o mucho, no hay quien no tenga alguno, y esto sin contar con los que tienen demasiado, que son los más. Todos tenemos miedo: los cobardes, a todo; los valientes, a parecer cobardes; en una palabra, el que más hace es el que más lo disimula, y esto no lo digo yo precisamente; antes que yo lo ha dicho Ercilla, en dos versos, por más señas, que si bien pudieran ser mejores, difícilmente podrían ser más ciertos:

El miedo es natural en el prudente,
y el saberlo vencer es ser valiente.

Preclaro es, pues, el origen de la policía. No nos remontaremos a las edades remotas para encontrar apoyos en favor de la policía. Trabajo inútil fuera, pues ya nos lo han hecho; un orador ha dicho que en todos los países la ha habido «con este o aquel nombre», y es punto sabido y muy sabido que la había en Roma y en el consulado de Cicerón, no se sabe si con este o con aquel nombre, no precisamente con su subdelegado al frente y sus celadores al pie; pero ello es que la había, y si la había en Roma, es cosa buena; si a esto se añade que la hay en Portugal y que el pueblo da a sus individuos el nombre de «morcegos», ya no hay más que saber.

Venecia ha sido el estado que ha llevado a más alto grado el esplendor de la policía; pues ¿qué otra cosa era el famoso tribunal pesquisidor de aquella república? A ella se debía la hermosa libertad que se gozaba en la reina del Adriático, y que con colores tan halagüeños nos ha presentado un literato moderno en la escena y un célebre novelista en su «Bravo». La Inquisición no era tampoco otra cosa que una policía religiosa, y si era buena la Inquisición, no hay para qué disputarlo. Aquí se prueba lo que ha dicho el orador citado, de que siempre ha existido en todos los países «con este o aquel nombre».

Otra prueba de que es cosa buena la policía es su existencia, no sólo en Roma y en Portugal, sino también en Austria, y sobre todo en la parte de Italia sujeta a aquel imperio, donde es delito a los ojos de la policía haber a las manos un papel francés. Así son los italianos tan felices, así se hacen lenguas del emperador de Austria. Oigase otro ejemplo. Ahí está la Polonia, que debe su actual felicidad, ¡vaya si es feliz!, a la policía rusa. Que la policía es, pues, una institución liberal, se deduce claramente de su existencia en Austria y en Polonia, y si nos venimos más acá, veremos que en Francia la instaló Bonaparte, uno de los amigos más acérrimos de la libertad, y tanto, que él tomó para sí toda la que pudo coger a los pueblos que sujetó. Y a España, por fin, la trajo el célebre conquistador del Trocadero el año 23, y fue lo que nos dio en cambio y permuta de la Constitución que se llevó; prueba de que él creía que valía tanto por lo menos la policía como la Constitución.

Pues luego se ha hecho bienes al país, no hay para qué ponerlo en cuestión. A la policía debió el desgraciado Miyar su triste fin, y como ha dicho muy bien otro orador, a la policía se debió, sin duda alguna, aquella inocente treta por la cual se sonsacó de Gibraltar a un célebre patriota para acabarlo en territorio español con toda nobleza y valentía. Pero ¿a qué más ejemplos? De cuantos liberales han muerto judicialmente asesinados en los diez años, acaso no habrá habido uno que haya tenido algo que agradecer a esa brillante institución. Ahora bien, continuador el año 35 y heredero universal, como se ha pretendido, de los diez años, mal pudiera rehusar herencia tan legítima: así hemos visto a nuestra policía recientemente hacer prodigios en punto a conspiraciones.

La policía se divide en política y en urbana. Y es cosa tan buena una como otra. Por la primera, supongamos que sabe usted que se habla en un café, en una casa o que no se habla, pero que tiene usted un enemigo; ¿quién no tiene un enemigo? Va usted a la policía y con contar el caso y con añadir que en la casa tienen pacto con «isabelinos», y que detrás del «viva de ordenanza» está tapada la anarquía, hace usted prender a su enemigo. Pues ¿no es cosa excelente? Luego, para cualquier carrera se necesita saber algo, suponiendo que no haya favor y parentesco, para médico, por ejemplo, alargar la enfermedad; para abogado, embrollar el asunto; para militar, ir a Vizcaya... Para cura, todos sabemos ya lo que se necesita saber, y por ese estilo. Pero para ser de policía, basta con no ser sordo. ¡Y es tan fácil no ser sordo! Ahora, si fuera preciso hacerse el sordo, ya era otra cosa: era preciso saber entonces casi tanto como para ser ministro.

Por otra parte, decía un ilustre amigo nuestro que

la España se había dividido siempre en dos partes: gentes que prenden y gentes que son prendidas; admitida esta distinción, no se necesita preguntar si es cosa buena la policía.

Acerca de los premios destinados a la delación, y para cuyos gastos será sin duda gran parte de los millones del presupuesto, esto es indispensable: primero, porque uno no ha de delatar de balde, y segundo, porque no se cogen truchas, etc., refrán que pudiéramos convertir en «no se cogen anarquistas», etcétera... En una palabra, o se ha de prender, o no se ha de prender: si se ha de prender, es preciso que haya quien delate, y si ha de haber delatores, éstos han de comer, porque tripas llevan pies; por consiguiente, no sólo es cosa buena la policía, sino también los ocho millones.

En los Estados Unidos y en Inglaterra no hay esta policía, pero sabido es, en primer lugar, el desorden de ideas que reina en aquellos países; allí puede uno tener la opinión que le dé la gana; por otra parte, la libertad mal entendida tiene sus extremos, y nosotros, leyendo en el gran libro abierto de las revoluciones, como ha dicho muy bien otro orador, debemos aprender algo en él, y no seguir las mismas huellas de los países demasiado libres, porque vendríamos a parar al mismo estado de prosperidad de aquellas dos naciones. La riqueza vicia al hombre y la prosperidad le hace orgulloso por más que digan.

La otra policía es urbana. Esta es todavía más cosa buena que la otra. Entre las ventajas que produce nos contentaremos con los pasaportes. Con los cuales va usted a donde quiere y a donde le dejan. Paga usted su peseta y ya sabe que tiene pasaporte. Suponga usted que, a imitación de Inglaterra, no hubiera pasaportes. En verdad que no se concibe cómo se puede ir de una parte a otra sin pasaporte: si fuera sin caminos, sin canales, sin carruajes, sin posadas, ¡vaya!, ¡pero sin pasaportes! Por el mismo consiguiente saca usted su carta de seguridad, y ya está usted seguro de haber gastado dos reales; pero, en cambio, hay otro que desde que usted los tiene de menos, los tiene de más. De modo que, para éste sobre todo, la carta de seguridad es cosa buena, tan buena por el pronto como dos reales. Hay cosas mejores, es verdad, pero siempre es cosa buena.

Probada, pues, hasta la evidencia la bondad de la policía, ¿cómo pudiéramos no agregarnos al voto de los cincuenta señores procuradores que han perdido la última votación? Poco vale por cierto nuestra opinión; no somos, desgraciadamente, ni procuradores ni inviolables; pero en cambio tendremos policía por lo menos; pagaremos en compañía de nuestros compatriotas ocho millones para que nos averigüen nuestras conversaciones, nue s t r o s pensamientos, nuestros... Y si algún día la policía nos prende, como es probable, por anarquistas, exclamaremos con justo entusiasmo: «¡Buena c á r c e l nos mamamos! ¡Pero buen dinero nos cuesta!»

CARTA DE FIGARO A UN VIAJERO INGLES

...Pero ¿sabe su Gracia cómo estamos en España? ¿Sabe que en España siempre se ha preso y se ha deportado a quien se ha querido? ¿Sabe que hace meses todavía se ha encontrado un hombre en las cárceles de Zaragoza que llevaba 36 años de prisión, y para quien reinaba todavía Carlos IV a pesar de la abdicación de Aranjuez, a pesar de Napoleón, a pesar de la cooperación de nuestra aliada la Inglaterra, a pesar de la Constitución del año 12, a pesar de la primera Restauración, de la muerte del rey, de las amnistías, del siglo XIX y del Estatuto Real? ¿Sabe su Gracia que, por nuestras leyes, si un plebeyo saca por el vicario para casarse una hija de un caballero que se ampara, como menor, de la ley contra la tiranía de su padre, éste puede impedir, sin embargo, el matrimonio por la desigualdad de clases? ¿Sabe su Gracia que ahora, en el tiempo de la libertad, se coge a un hombre del pueblo mendigando y se le mete por fuerza en San Bernardino, donde se le obliga a trabajar, donde está por fuerza? La sociedad puede declarar delito la vagancia y la mendicidad, y puede imponerle pena, siempre que a todo hombre que se presente pidiéndole trabajo, esa sociedad le dé trabajo: si dando trabajo a todo el que lo pida, queda todavía quien mendiga, puede imponerle la pena, pero no puede forzar a nadie a entrar en un establecimiento, porque el hombre tiene hasta el derecho de morirse de hambre y de no trabajar; en sí lleva la pena.

¿Sabe el inglés que en España las cárceles, los presidios son casas de desmoralización y de crimen, donde el que entra una vez inocente, o poco culpable, sale salteador de caminos o asesino? Y ¿a quién la responsabilidad sino a la sociedad? Si en España, como en los Estados Unidos, el que va por una falta leve a una casa de corrección saliera de ella con un capital, que el establecimiento le hubiese reservado de los ahorros de su trabajo, el viajero inglés tendría razón en llamarnos sofistas.

¿Ha oído hablar vuestra Gracia, señor viajero, de un cierto Jaime el Barbudo, famoso ladrón que se declaró en hostilidad con esta sociedad y que le hizo la guerra muchos años, hasta ser por ella vencido? Unos caballeretes de Crevillente robaron por broma unos carneros y los merendaron pacíficamente después de haber arrojado a la ventura las pieles de las reses. Las pieles cayeron en un corral de Jaime; Jaime fue sentenciado a presidio; en el presidio la atmósfera pestífera se agregó a su rencor, y salió de presidio para no dejar las armas hasta el pie de la horca. ¿Y a quién la culpa? ¿Qué debió Jaime el Barbudo a la sociedad?

Hace dos días, un hombre del pueblo es atropellado por un hombre de cabriolé: el hombre del pueblo reclama sus cántaros rotos; sobreviene un celador de policía, y al oír al hombre y al ver al del cabriolé, vuelve la espalda diciendo: ¡Bah! ¡Bah! Y si este hombre se toma la justicia por su mano, ¿a quién la culpa?

¿Y ésta es la sociedad? ¿Qué amparo le debemos los que nos vemos robados de noche, de día, por las calles, en nuestras casas, en los caminos reales? En un país donde han reinado años enteros los «Niños de Ecija», se quiere que demos apoyo a la...

LA GRAN VERDAD DESCUBIERTA

Dirán que los grandes trastornos políticos no sirven para nada. ¡Mentira! ¡Atroz mentira! Del choque de las cosas y de las opiniones nace un principio nuevo y luminoso. ¿Saben ustedes lo que se ha descubierto en España, en Madrid, ahora, hace poco, hace dos días no más? Se ha descubierto, se ha decidido, se ha determinado que la ley protege y asegura la libertad individual. Cosa recóndita, de nadie sabida, ni nunca sospechada. Han sido precisos todos los sucesos de la Granja, la caída de tres ministerios, una amnistía, la vuelta de todos los emigrados, la rebelión de un mal aconsejado príncipe, una cuádruple alianza, una guerra en Vizcaya, una jura, una proclamación, un estatuto, unas leyes fundamentales resucitadas en traje de Próceres, una representación nacional, dos estamentos, dos discusiones, una corrección ministerial, un empate y la reserva de un voto importante, que no hacía falta, para sacar del fondo del arca política la gran verdad de que la ley protege y asegura la libertad individual. Pero ahora ya lo sabemos. «Girolamo, lo sappiamo», responderá alguno. «Sappete un...!» Ahora es, y no antes, cuando verdaderamente lo sabemos, y ya nunca se nos olvidará.

¡Que nos quiten esa ventaja! A un dos por tres descubrió Copérnico que la Tierra es la que gira; en un abrir y cerrar de ojos descubrió Gassendi la gravedad de los cuerpos; Newton halló su prisma en un mal vidrio; Linneo encontró los sexos de las plantas entre rama y rama. Pero han sido necesarios siglos de opresión y una corrección ministerial para descubrir que la ley protege y asegura algo. He aquí la diferencia que hay de las verdades físicas a las verdades políticas: aquéllas suelen encontrarse detrás de una mata; éstas están siglos enteros agazapadas detrás de una corrección ministerial. Abrase la discusión, discútase el punto, pronúnciese la modificación ministerial, et voilà la vérité, que salta como un chorro, y salpica a los circunstantes. ¡Uf! La ley protege y asegura la libertad individual. Luego que esto esté escrito y sancionado, ya quisiera yo saber quién es el que no anda derecho. ¿Qué ladrón vuelve a robar, qué asesino mata, qué facción vuelve a levantar cabeza y qué carlista, en fin, no se apea de su destino? La discusión, la discusión: he aquí el secreto. La ley protege; es decir, que la ley no es cosa mala, como se había creído hasta ahora; la ley por último, he aquí la gran verdad escondida. Loor a la revolución, loor a las discusiones largas y peliagudas, loor a las correcciones ministeriales y loor, en fin, para siempre, y más loor, a la gran verdad descubierta.

UN PERIODICO NUEVO

... Convengamos, pues, en que el periódico es el grande archivo de los conocimientos humanos, y que si hay algún medio en este siglo de ser ignorante, es no leer un periódico.

Estas y muchas otras reflexiones, las cuales no expongo todas, por ser siempre mucho más lo que callo que lo que digo, me movieron a ser periodista; pero no como quiera periodista atenido a sueldos y voluntades ajenas, sino periodista por mí y ante mí.

Dicho y hecho, concibamos el plan. El periodista se titulará «Fígaro», un nombre propio; esto no significa nada y a nada compromete, ni a «observar», ni a «revistar», ni a ser «eco de nadie», ni a «chapar flores», ni a «compilar», ni a maldita de Dios la cosa. Encierra sólo un tanto de malicia, y eso bien sé yo que no me costará trabajo. Con sólo contar nuestras cosas lisa y llanamente, ellas llevan ya la bastante sal y pimienta. He aquí una de las ventajas de los que se dedican a graciosos en nuestro país: en sabiendo decir lo que pasa, cualquiera tiene gracia, cualquiera hará reír. Sea esto dicho sin ofender a nadie.

El periódico tratará... de todo. ¿Qué menos? Pero como no ha de ser ni tan grande como nuestra paciencia, ni tan corto como nuestra esperanza, y como han de caber mis artículos, no pondremos las reales órdenes. Por otra parte, no gusto de afligir a nadie; por consiguiente, no se pondrán los reales nombramientos: menos gusto de estar siempre diciendo una misma cosa; por lo tanto, fuera los partes oficiales. Estoy decidido a no gastar palabras en balde; mi periódico ha de ser todo sustancia; así, cada sesión de Cortes vendrá en dos líneas, algunos días en menos; como de esas veces no ocupará nada.

Artículos de «política». Los habrá. Estos, en no entendiéndolos nadie, estamos al cabo de la calle. Y no es difícil, sobre todo quien no los ha de entender es el censor. Oposición: eso por supuesto. A mí, cuando escribo, me gusta siempre tener razón.

De «Hacienda». Largamente, pero siempre en broma; para nosotros será un juego esto: no nos faltará a quien imitar. Los asuntos de cuentas sólo son serios para quien paga, pero para quien cobre...

De «guerra». También daremos artículos, y en abundancia: buscaremos primero quien lo entienda y quien sepa hablar de la materia; por lo demás, saldremos del paso, si no bien, mal: nunca serán los artículos tan pesados como el asunto.

De «Interior». Hasta los codos. Desentrañaremos esto; y tanto queremos hablar de esta materia, que no nos detendremos en enumerar lo que se ha hecho; sólo hablaremos de lo que falta por hacer.

De «Estado». Aquí nos extenderemos sobre el «statu quo» y sobre el Estatuto, y nos quedaremos extendidos; ni moveremos pie ni pata.

De «Marina». Esto es más delicado. ¿Ha de ser «Fígaro» el único que hable de ello? No me gusta ahogarme en poca agua.

De «Gracia y justicia». He dicho muchas veces que

no soy ministerial. Haré, por lo tanto, justicia seca. ¡Ojalá que me dejen también hacer gracias!

De «literatura». En cuanto se publique un libro bueno, le analizaremos; por consiguiente, no seremos pesados en esta sección.

De «teatro español». No diremos nada mientras no haya nada que decir. Felizmente va largo.

De «actores». Aquí seremos malos de buena fe: seremos actores hablando de actores.

De «música». Buscaremos un literato que sepa música, o un músico que sepa escribir; entre tanto, «Fígaro» se compondrá como se han compuesto hasta el día los demás periódicos. Felizmente, pillaremos al público acostumbrado, y él y nosotros estamos iguales.

«Modas». En esta sección hablaremos de empréstitos, de intrigas, de favor... En una palabra, lo que corre... a la «dernière».

De «costumbres». Por supuesto, malas. Lo que hay: escribiremos cómo otros viven sobre el país. «Fígaro» hablará, bajo este título, de paciencia, de tinieblas, de mala intención, de atraso, de pereza, de apatía, de egoísmo. En una palabra, de nuestras costumbres.

«Anuncios». Queriendo hacer lo más corta posible esta parte del periódico, sólo anunciará las funciones buenas, los libros regulares, las reformas, los adelantos, los descubrimientos. Ni se pondrán las pérdidas ni menos todo lo que se vende entre nosotros. Esto sería no acabar nunca.

He aquí el periódico de «Fígaro». Ya está concebida la idea. Sin embargo, no es eso todo. Es preciso pedir licencia, pero para pedir licencia es preciso poder presentar fianzas. Si yo las tuviera, no sería yo el que me pusiera a escribir tonterías para divertir a otros; «o tener empleo con sueldo»... Pero si tuviera empleo, y jefe, y horas fijas, y once, y expedientes, y la cesantía al ojo, no tendría yo humor de escribir periódicos... O ser «catedrático»... Pero si fuera catedrático, sabría algo, y entonces no serviría para periodista...

Está decidido que no sirvo para pedir licencia. Otro al canto; un testaferro; un sueldo al testaferro; seguridades contra seguridades; fianza, depósito, licencia, en fin. He aquí ya a «Fígaro» con licencia; no esa licencia tan tímida, esa licencia fantasma, esa licencia que nos ha de volver al despotismo, esa licencia que está detrás de todos, acechando siempre el instante y el ministro, y el... No, sino licencia de imprimirse a sí mismo.

Ya no falta más que imprenta. Corro a una...

—Aquí es imposible, no hay letra. Corro a otra: Aquí, le diré a usted francamente, no hay prensas. A otra: Aquí no queremos periódicos, hay que trabajar de noche, Dios ha hecho la noche para dormir. Sí, pero no el impresor, contesto furioso. ¿Qué quiere usted? Luego es trabajo en que no se gana: como no hay cajistas en España, piden un sentido, se hacen valer; el público no quiere pagar caro; el oficial no quiere trabajar barato. ¿Con que es imposible imprimir un periódico? Poco menos, señor; y si acaso se lo imprimen a usted, será caro y mal. Pondrán unas letras por otras.

—Eso, ¡pardiez!, no será imprimir mi periódico, sino otro del cajista. Pues eso, señor, sucederá, en habiendo una deformación no tendrá usted cajistas, y si usted se enfada algún día por una errata, le dejan plantado, y si no se enfada, también.

¿Es posible? ¿Conque no hay «Fígaro»? ¡Oh! ¡Habrá «Fígaro», habrá «Fígaro»! Venceremos las dificultades... ¡Ah, se me olvidaba! ¡Papel! A una fábrica, a otra, a otra... Este es chico, éste caro, éste grande, éste moreno, éste con demasiada cola... Mire usted, como usted le quiere no le hay, me dicen por fin. Es preciso mandarle hacer. Pues lo mando hacer: para dentro de ocho días. Señor, la fábrica está a sesenta leguas; hay que hacer los moldes, y luego el papel, y luego secarlo, y si llueve... Y luego traerlo... Y el ordinario echa quince días o veinte... Y... ¿No hay quien le eche a usted a los infiernos?, grito, desesperado. ¡País de los obstáculos!

Es preciso resignarse, esperar... Al fin lo habrá todo... Demasiado va a haber luego... Esta es la idea que me detiene, por fin, que cuando haya editor, redactores, impresor, cajistas, papel..., entonces también habrá censor... Eso sí, eso siempre lo hay... Ni hay que mandarle hacer, ni hay que esperar... Aquí acabo de perder la cabeza, enciérrome en mi casa, ¡voto va! Pues ha de haber «Fígaro», sí, señor, por lo mismo ha de haber «Fígaro», y ha de hablar de todo, absolutamente de todo.

Diciendo esto, llego a mi casa, me siento en mi bufete para tomar disposiciones. —¿Qué hace usted?, le digo a mi escribiente, de mal humor. —Señor, me responde, estoy traduciendo, como me ha mandado usted, este monólogo de su tocayo de usted, en el «Mariage» de Fígaro de Beaumarchais, para que sirva de epígrafe a la colección de sus artículos que va usted a publicar. —¿A ver cómo dice?

«Se ha establecido en Madrid un sistema de libertad que se extiende hasta a la imprenta, y con tal que no hable en mis escritos ni de la autoridad, ni del culto, ni de la política, ni de la moral, ni de los empleados, ni de las corporaciones, ni de los cómicos, ni de nadie que pertenezca a algo, puedo imprimirlo todo libremente, previa la inspección y revisión de dos o tres censores. Para aprovecharme de esta hermosa libertad, anuncio un periódico...»

—¡Basta!, exclamo al llegar aquí mi escribiente.

Basta, eso se ha escrito para mí; cópielo usted aquí al pie de este artículo: ponga usted la fecha en que eso se escribió: 1784. Bien. Ahora la fecha de hoy: 22 de enero de 1835. Y debajo: «Fígaro».

LO QUE NO SE PUEDE DECIR, NO SE DEBE DECIR

Quiero hacer un artículo, por ejemplo: no quiero que me lo prohíban, aunque no sea más que por no hacer dos en vez de uno. Y ¿qué hace usted?, me dirán esos perturbadores que tienen siempre la anarquía entre los dedos para soltársela encima al primer ministro que trasluzcan, ¿qué hace usted para que no se lo prohíban?

¡Qué he de hacer, hombres exigentes! Nada: lo que debe hacer un escritor independiente en tiempos como éstos de independencia. Empiezo por poner al frente de mi artículo, para que me sirva de eterno recuerdo: «Lo que no se puede decir, no se debe decir.» Sentada en el papel esta provechosa verdad, que es la verdadera, abro el reglamento de censura: no me pongo a criticarlo, ¡nada de eso!, no me compete. Sea reglamento o no sea reglamento, cierro los ojos y venero la ley, y la bendigo, que es más. Y continúo:

Artículo 12. «No permitirán los censores que se inserten en los periódicos:

Primero: Artículos en que viertan máximas o doctrinas que conspiren a destruir o alterar la religión, el respeto a los derechos y prerrogativas del trono, el Estatuto Real y demás leyes fundamentales de la monarquía.»

Eso dice la ley. Ahora bien: doy el caso que me ocurra una idea que conspira a destruir la religión. La callo, no la escribo, me la como. Este es el modo.

No digo nada del respeto a los derechos y prerrogativas del trono, el estatuto, etc...., etc.... ¿Si les parecerá a esos hombres de oposición que no me ocurre nada sobre esto? Pues se equivocan; ni cómo he de impedir yo que me ocurran los mayores disparates del mundo. Ya se ve que me ocurriría entrar en el examen de ese respeto, y que me ocurriría investigar los fundamentos de todas las cosas más fundamentales. Pero me llamo aparte y digo para mí: ¿No está clara la ley? Pues punto en boca. Es verdad que me ocurrió; pero la ley no condena ocurrencia alguna. Ahora, en cuanto a escribirlo, ¿no fuera una necedad? No pasaría. Callo, pues; no lo pongo, y no me lo prohíben. He aquí el medio sencillo, sencillísimo. Los escritores, por otra parte, debemos dar el ejemplo de la sumisión. O es ley o no es ley. ¡Malhaya los descontentadizos! ¡Malhaya esa funesta oposición! ¿No es buena manía la de oponerse a todo, la de querer escribirlo todo?

Que no pasan las sátiras e invectivas contra la autoridad, pues no se ponen tales sátiras ni invectivas. Que las prohíben aunque se disfracen con alusiones o alegorías, pues no se disfrazan. Así como así, ¡no parece sino que es fácil inventar las tales alusiones y alegorías!

Los «escritos injuriosos» están en el mismo caso, aun cuando vayan con anagramas o en otra cualquiera forma, «siempre que los censores se convenzan de que se alude a personas determinadas».

En buena hora; voy a escribir ya; pero llego a este párrafo y no escribo. Que no es injurioso, que no es libelo, que no pongo anagrama. No importa; puede convencerse el censor de que se aluda, aunque no se aluda. ¿Cómo haré, pues, que el censor no se convenza? Gran trabajo: no escribir nada; mejor para mí; mejor para él, mejor para el gobierno: que encuentre alusiones en lo que no escribo. He aquí, he aquí el sistema. He aquí la gran dificultad por tierra. Desengañémonos: nada más fácil que obedecer. Pues entonces, ¿en qué se fundan las quejas? ¡Miserables que somos!

«Los escritos licenciosos», por ejemplo; y ¿qué son escritos licenciosos? Y ¿qué son costumbres? Discurro, y a mi primera resolución, nada escribo; más fácil es no escribir nada que ir a averiguarlo.

Buenas ganas se me pasan de injuriar a «algunos soberanos y gobiernos extranjeros». Pero ¿no lo prohíbe la ley? Pues chitón.

Hecho mi examen de la ley, voy a ver mi artículo; con el reglamento de censura a la vista, con la intención que me asiste, no puedo verlo infringido. Examino mi papel; no he escrito nada; no he hecho artículo; es verdad. Pero en cambio, he cumplido con la ley. Este será eternamente mi sistema; buen ciudadano, respetaré el látigo que me gobierna y concluiré siempre diciendo:

«Lo que no se puede decir, no se debe decir.»

EN ESTE PAIS

En este país..., ésta es la frase que todos repetimos a porfía, frase que sirve de clave para toda clase de explicaciones, cualquiera que sea la cosa que a nuestros ojos choque en mal sentido. ¿Qué quiere usted? decimos ¡en este país! Cualquier acontecimiento desagradable que nos suceda, creemos explicarle perfectamente con la frasecilla: ¡cosas de este país!, que con vanidad pronunciamos y sin ningún pudor repetimos.

¿Nace esta frase de un atraso reconocido en toda la nación? No creo que pueda ser éste su origen, porque sólo puede conocer la carencia de una cosa el que la misma cosa conoce: de donde se infiere que si todos los individuos de un pueblo conociesen su atraso, no estarían realmente atrasados. ¿Es la pereza de imaginación o de raciocinio que nos impide investigar la verdadera razón de cuanto nos sucede y que se goza en tener una muletilla siempre a mano con que responder a sus propios argumentos, haciéndose cada uno la ilusión de no creerse cómplice de un mal, cuya responsabilidad descarga sobre el estado del país en general? Esto parece más ingenioso que cierto.

Creo entrever la causa verdadera de esta humillante expresión. Cuando se halla un país en aquel crítico momento en que se acerca a una transición, y en que saliendo de las tinieblas comienza a brillar a sus ojos un ligero resplandor, no conoce todavía el bien, empero ya conoce el mal, de donde pretende salir para probar cualquiera otra cosa que no sea lo que hasta entonces ha tenido. Sucédele lo que a una joven bella que sale de la adolescencia; no conoce el amor todavía ni sus goces; su corazón, sin embargo, o la naturaleza, por mejor decir, le empieza a revelar una necesidad que pronto será urgente para ella, y cuyo germen y cuyos medios de satisfacción tiene en sí misma, si bien los desconoce todavía; la vaga inquietud de su alma, que busca y ansía sin saber qué la atormenta y la disgusta de su estado actual y del anterior en que vivía; y vésela despreciar y romper aquellos mismos sencillos juguetes que formaban poco antes el encanto de su ignorante existencia.

Este es acaso nuestro estado, y ésta, a nuestro entender, la fatuidad que en nuestra juventud se observa: el medio saber reina entre nosotros; no conocemos el bien, pero sabemos que existe y que podemos llegar a poseerle, si bien sin imaginar aún el cómo. Afectamos, pues, hacer ascos de lo que tenemos, para dar a entender a los que nos oyen que conocemos cosas mejores y nos queremos engañar miserablemente unos a otros, estando todos en el mismo caso.

Este medio saber nos impide gozar de lo bueno que realmente tenemos, y aun nuestra ansia de obtenerlo todo de una vez nos ciega sobre los mismos progresos que vamos insensiblemente haciendo. Estamos en el caso del que, teniendo apetito, desprecia un sabroso almuerzo con la esperanza de un suntuoso convite incierto, que se verificará o no se verificará más tarde. Sustituyamos sabiamente a la esperanza de mañana el recuerdo de ayer, y veamos si tenemos razón en decir a propósito de todo: ¡Cosas de este país!

Sólo con el auxilio de las anteriores reflexiones pude comprender el carácter de Don Periquito, ese petulante joven, cuya instrucción está reducida al poco latín que le quisieron enseñar y que él no quiso aprender, cuyos viajes no han pasado de Carabanchel, que no lee sino en los ojos de sus queridas, las cuales no son ciertamente los libros más filosóficos; que no conoce, en fin, más ilustración que la suya, más hombres que sus amigos, cortados por la misma tijera que él, ni más mundo que el salón del Prado, ni más país que el suyo. Este fiel representante de gran parte de nuestra juventud desdeñosa de su país, fue no ha mucho tiempo objeto de una de mis visitas.

Encontréle en una habitación mal amueblada y peor dispuesta, como de hombre solo; reinaba en sus muebles y sus ropas, tiradas aquí y allá, un espantoso desorden de que hubo de avergonzarse al verme entrar.

—Este cuarto está hecho una leonera, me dijo. ¿Qué quiere usted? En este país..., y quedó muy satisfecho de la excusa que a su natural descuido había encontrado.

Empeñóse en que había de almorzar con él, y no pude resistir a sus instancias: un mal almuerzo mal servido reclamaba indispensablemente algún nuevo achaque, y no tardó mucho en decirme: Amigo, en este país no se puede dar un almuerzo a nadie; hay que recurrir a los platos comunes y al chocolate.

«Vive Dios, dije yo para mí, que cuando en este país se tiene un buen cocinero y un exquisito servicio y los criados necesarios, se puede almorzar un excelente beefsteak con todos los adherentes de un almuerzo a la fourchette; y que en París los que pagan ocho o diez reales por un appartement garni, o una mezquina habitación en una casa de huéspedes, como mi amigo don Periquito, no se desayunan con pavos trufados ni con champagne.»

Mi amigo Periquito es hombre pesado, como los hay en todos los países, y me instó a que pasase el día con él; y yo, que había empezado ya a estudiar sobre aquella máquina como un anatómico sobre un cadáver, acepté inmediatamente.

Don Periquito es pretendiente, a pesar de su notoria inutilidad. Llevóme, pues, de ministerio en ministerio: de dos empleos con los cuales contaba, habíase llevado el uno otro candidato que había tenido más empeños que él. ¡Cosas de España! me salió diciendo, al referirme su desgracia. Ciertamente, le respondí, sonriéndome de su injusticia, porque en Francia y en Inglaterra no hay intrigas; puede usted estar seguro de que allá todos son unos santos varones y los hombres no son hombres.

El segundo empleo que pretendía había sido dado a un hombre de más luces que él. ¡Cosas de España! me repitió.

—Sí, porque en otras partes colocan a los necios, dije yo para mí.

Llevóme en seguida a una librería, después de haberme confesado que había publicado un folleto, llevado del mal ejemplo. Pregunto cuántos ejemplares se habían vendido de su peregrino folleto, y el librero respondió: ni uno.

—¿Lo ve usted, Fígaro? me dijo. ¿Lo ve usted? En este país no se puede escribir. En España no se puede escribir. En París hubiera vendido diez ediciones.

Ciertamente, le contesté yo, porque los hombres como usted venden en París sus ediciones.

En París no habrá libros malos que no se lean, ni autores necios que se mueran de hambre.

—Desengáñese usted: en este país no se lee, prosiguió diciendo. Y usted que de eso se queja, señor don Periquito, usted, ¿qué lee? le hubiera podido preguntar. Todos nos quejamos de que no se lee, y ninguno leemos.

—¿Lee usted los periódicos? le pregunté, sin embargo.

—No señor, en este país no se sabe escribir periódicos. ¡Lea usted ese Diario de los Debates, ese Times!

Es de advertir que don Periquito no sabe francés ni inglés, y que en cuanto a periódicos, buenos o malos, en fin, los hay, y muchos años no los ha habido.

Pasábamos al lado de una obra de esas que hermosean continuamente este país, y clamaba:

—¡Qué basura! En este país no hay policía.

En París las casas que se destruyen y reedifican no producen polvo.

Metió el pie torpemente en un charco. ¡No hay limpieza en España! exclamaba.

En el extranjero no hay lodo.

Se hablada de un robo. ¡Ah! ¡País de ladrones! vociferaba indignado. Porque en Londres no se roba; en Londres, donde en la calle acometen los malhechores a la mitad de un día de niebla a los transeúntes.

Nos pedía limosna un pobre. ¡En este país no hay más que miseria! exclamaba horripilado. Porque en el extranjero no hay infeliz que no arrastre coche.

Ibamos al teatro, y ¡Oh que horror! decía mi don Periquito con compasión, sin haberlos visto mejores en su vida ¡Aquí no hay teatros!

Pasábamos por un café. No entremos. ¡Qué cafés los de este país! gritaba.

Se hablaba de viajes ¡Oh! Dios me libre; en España no se puede viajar! ¡qué posadas! ¡qué caminos!

¡Oh infernal comezón de vilipendiar este país que adelanta y progresa de unos años a esta parte más rápidamente que adelantaron estos países, para llegar al punto de ventaja en que se han puesto!

Porque los don Periquitos que todo lo desprecian en el año 33, no vuelven los ojos a mirar atrás, o no preguntan a sus papás acerca del tiempo, que no está tan distante de nosotros, en que no se conocía en la corte más botillería que la de Canosa, ni más bebida que la leche helada; en que no había más caminos en España que el del cielo; en que no existían más posadas que las descritas por Moratín en «El sí de las niñas», con las sillas desvencijadas y las estampas del Hijo Pródigo; o las malhadadas ventas para caminantes asendereados; en que no corrían más carruajes que las galeras y carromatos; en que los «chorizos» y «polacos» repartían a naranjazos los premios al talento dramático, y llevaba el público al teatro la bota y la merienda para pasar a tragos la representación de las comedias de figurón y dramas de Comella; en que no se conocía más ópera que el Marlborough (o Mambrú, como dice el vulgo) cantado a la guitarra; en que no se leía más periódico que el «Diario de Avisos», y en fin... en que...

Pero acabemos este artículo demasiado largo para nuestro propósito: no vuelven a mirar atrás porque habrían de poner un término a su maledicencia y llamar prodigiosa la casi repentina mudanza que en este país se ha verificado en tan breve espacio.

Concluyamos, sin embargo, de explicar nuestra idea claramente, más que a los don Periquitos que nos rodean pese y avergüence.

Cuando oímos a un extranjero que tiene la fortuna de pertenecer a un país donde las ventajas de la ilustración se han hecho conocer con mucha anterioridad que en el nuestro, por causas que no es de nuestra inspección examinar, nada extrañamos en su boca, sino la falta de consideración y aun de gratitud que reclama la hospitalidad de todo hombre honrado que la recibe; pero cuando oímos la expresión despreciativa que hoy merece nuestra sátira en bocas de españoles, y de españoles que, sobre todo, no conocen más país que este mismo suyo, que tan injustamente dilaceran, apenas reconoce nuestra indignación límites en que contenerse.

Borremos, pues, de nuestro lenguaje la humillante expresión que no nombra a este país, sino para denigrarle; volvamos los ojos atrás, comparemos y nos creeremos felices. Si alguna vez miramos adelante y nos comparamos con el extranjero, sea para prepararnos un porvenir mejor que el presente, y para rivalizar en nuestros adelantos con los de nuestros vecinos:

sólo en este sentido opondremos nosotros en algunos de nuestros artículos el bien de fuera al mal de dentro.

Olvidemos, lo repetimos, esa funesta expresión que contribuye a aumentar la injusta desconfianza que de nuestras propias fuerzas tenemos. Hagamos más favor o justicia a nuestro país, y creámosle capaz de esfuerzos y felicidades. Cumpla cada español con sus deberes de buen patricio, y en vez de alimentar nuestra inacción con la expresón de desaliento ¡Cosas de España!, contribuya cada cual a las mejoras posibles. Entonces este país dejará de ser tan mal tratado de los extranjeros, a cuyo desprecio nada podemos oponer, si de él les damos nosotros mismos el vergonzoso ejemplo.

CRONOLOGIA

1809.   El 24 de marzo nace en Madrid Mariano José de
Larra.

1812.   Las Cortes españolas promulgaron la Constitución más avanzada de Europa. Las ideas y principios de esta Constitución influyen de forma
trascendental en Larra y la generación de su
tiempo.

1813.   Derrota de los ejércitos franceses en España,
en Vitoria y San Marcial. Reconquista de Pam-
plona. El padre de Larra, médico militar en el
ejército de José Bonaparte, hace, con la Corte,
las maletas y sale con su familia de España.
Larra viaja con el padre de Víctor Hugo, general francés. Es internado en un colegio de Burdeos.

1814.   Fernando VII regresa a España. Persecución de
los afrancesados. Oposición popular al absolutismo del Rey. Sublevación de Espoz y Mina y
Díaz Porlier. Los Larra siguen con inquietud,
desde el exilio, los acontecimientos de España.

1815.   Muere el abuelo paterno de Larra.

1816. El padre de Larra se instala en París como médico. Mariano José de Larra vive internado en un colegio de Burdeos.

1817. Larra se reúne con sus padres en París.

1818. Regresa a España la familia Larra, acogiéndose a una amnistía. Mariano José ingresa en el Colegio madrileño de San Antonio Abad. Prosigue implacable la persecución de los liberales. Proliferan las guerrillas y clubs secretos. Muere este año Isabel de Braganza, fundadora del Museo del Prado.

1819. La España de Larra se vislumbra: conspiración y anarquía por todas partes. Rebeliones liberales contra el absolutismo del Rey. Conspiraciones en los cafés madrileños que, años más tarde, frecuentará Larra. Muere Carlos IV. Complot del Puerto de Santa María, liberal.

1820. Sublevación y proclamación de Riego a favor de la Constitución del doce. El Rey Fernando tiene que aceptar la constitución liberal. El padre de Larra lee a su familia, emocionado, el manifiesto fernandino aceptando a los liberales. Comienza el trienio liberal.

1822. Sublevaciones absolutistas, apoyadas en secreto por el Rey, y movimientos de los liberales exaltados contra el gobierno. Ley marcial condenando a muerte a todos los enemigos de la Constitución, libertad de imprenta.

Larra se traslada con su familia de Valladolid a Corella (Navarra). Escribe una gramática española, traduce del francés «La Ilíada» y el «Mentor de la Juventud». Transcribe en verso una Geografía española.

1823. Los Cien Mil Hijos de San Luis «rescatan» a Fernando VII, en Cádiz, de su propia Corte. Triunfo absolutista. Larra presencia en Madrid el retorno triunfal del Rey, mientras el pueblo grita «¡Vivan las cadenas!».

Mariano José de Larra se matricula en el Colegio Imperial de la Compañía de Jesús. Estudios de inglés, matemáticas, griego e italiano como preparación al ingreso en la Universidad. Persecución de liberales.

1824-25-26. Larra deja la Corte y se matricula en la Universidad de Valladolid en Leyes. Se enamora de la amante de su padre. Después pasa a la Universidad de Valencia. Suspende sus estudios y vuelve a Madrid. Se matricula en los Reales Estudios de San Isidro. Abandona los estudios. Renuncia a un cargo en la burocracia del Estado. Decide vivir como escritor. España, en plena «década ominosa».

1827. Primera producción literaria: una oda, siguiendo las corrientes de la época, que los críticos reputan endeble. Está dedicada a la Exposición de la Industria Española.

1828. Publica un periódico satírico: «El Duende Satírico del Día», que lleva como lema el verso de Boileau: «Des sottisses du temps je compose mon fiel». Se publican cinco números. De esta fecha datan algunos opúsculos de escaso mérito que Larra no reconoce, más tarde, como suyos.

1829. En la Iglesia madrileña de San Sebastián, el 13 de agosto, se casa Mariano José de Larra con Josefa Anacleta Wettoret. El gobierno le suspende «El Duende Satírico del Día». La censura es grave. Continúa la persecución de los liberales. Fernando VII se casa con María Cristina de Nápoles.

Escribe epigramas, sonetos, anacreónticas, letrillas. Entre esta producción poética destaca una Oda al terremoto de Murcia, un romance al Duque de Frías solicitándole apadrine su boda, un soneto « a un mal artista que se atrevió a hacer el busto de Doña Mariquita Zavala de Ortiz» y un poema al casamiento de Fernando VII.

Firma con seudónimo la traducción de algunas comedias francesas.

1830. Debido a la censura, Larra se silencia como periodista satírico. Escribe una Octava «Con motivo de hallarse encinta nuestra muy amada Reina Doña María Cristina de Borbón»:

«Bastante tiempo, ¡oh! Rey, la refulgente
Antorcha de Himeneo ardista en vano,
Y un sucesor al Trono inútilmente
Esperó de tres Reinas el Hispano.
Sí: salud a Cristina que esplendente
Vino a partir tu solio soberano;
Que ella es, Fernando, la que al Trono Ibero
Dos veces le asegura un heredero.»

(Poema con fondo político, pues el anuncio del futuro nacimiento de un heredero, como escri-

156

bió el mismo Larra, «obliga al partido carlista a desplegar la enseña de la rebelión».)

Nace la infanta Isabel. «Creíamos inaugurar una reina y realmente inaugurábamos una revolución», traduce Larra de este año de 1830. Los constitucionales, al mando de Mina, invaden la península por los Pirineos, pero son derrotados. Gabinete Calomarde, favorable a los absolutistas y carlistas. El Rey da la pragmática sanción, por la que deroga la «ley sálica», legitimando el paso de su hija al trono.

Larra conoce a Dolores Armijo en una reunión de sociedad.

Nace el primer hijo de Larra, Luis Mariano.

1831. Larra estrena con éxito en el teatro de la Cruz, de Madrid, «No más mostrador», comedia original en dos actos y en prosa. Es acusado de plagiarla del teatro francés.

Sigue la represión de los liberales. El general Torrijos, después de desembarcar en Málaga con un puñado de soldados en nombre de la revolución liberal, es ejecutado. Es ejecutada Mariana Pineda por bordar una bandera constitucional.

1832. Nace su segunda hija, Adela, que luego asistiría a su muerte.

Larra vuelve al periodismo satírico con «El Pobrecito Hablador»: revista satírica de costumbres por el Bachiller D. Juan Pérez de Munguía. Su fin, reírse de las ridiculeces; su divisa: ser leído; decir la verdad: su medio. El primer artículo se titula «¿Quién es el público?» En «El Pobrecito Hablador» publica sus mejores artículos satíricos y de costumbres: «El casarse pronto y mal», «El castellano viejo», «Vuelva usted mañana», etc.

Teatro: «Felipe», comedia en dos actos y en prosa traducida del francés; «Roberto Dillon o el católico de Irlanda», melodrama de gran espectáculo en tres actos y en prosa, y otras piezas menores.

Este año, según Larra, «perteneció a los apostólicos». Consiguen revocar la pragmática sanción. Pero más tarde se restablece. Regencia de María Cristina por enfermedad de Fernando VII y amnistía para los liberales. El respiro político es el que permite a Larra publicar «El Pobrecito». Colabora en la «Revista Española».

1833. Larra escribe en la «Revista Española» con la firma de «Fígaro»: artículos de teatro, sátiras políticas. Entre otros: «Yo quiero ser cómico», «El hombre pone y Dios dispone, o lo que ha de ser el periodista», «La vida de Madrid», «La sociedad», etc. Se suspende «El Pobrecito Hablador».

Pepita Wettoret abandona a Larra a causa de los amores de éste con Dolores Armijo.

Muerte de Fernando VII. Sube al trono Isabel, bajo la regencia de su madre, María Cristina de Borbón. Guerra carlista. Gabinete de Cea Bermúdez: «Todo el mundo comprendió —escribe Larra— que Fernando vivía todavía en su ministro.» Cea frena a los liberales. Se acerca la revolución.

1834. Nace su hija Baldomera, bautizada así en homenaje al general Espartero.

Larra publica «El doncel de Don Enrique el Doliente», novela de corte romántico, en la que retrata sus amores con Dolores Armijo. El protagonista, Macías, es Larra, y Elvira, Dolores. En septiembre de este año estrena en Madrid el drama histórico en cuatro actos y en verso, «Macías», obra paralela al «Doncel». Traduce a Scribe y Paul Dupont con el seudónimo de Ramón Arriala.

Interrumpe su colaboración en la «Revista Española». La Reina promulga el Estatuto Real, intento de carta otorgada con un constitucionalismo moderado que no aceptan los radicales. Epidemia de cólera que se atribuye al envenenamiento de las fuentes, realizada por franciscanos. Revueltas en Madrid y quema de conventos. Gabinete Martínez de la Rosa, redactor del Estatuto, «un mal remedo de la carta sacramental inglesa», a decir de Larra. El carlismo arde en Navarra. Guerra civil. Amnistía para liberales.

1835. Larra estrena en Madrid «Las desdichas de un amante dichoso». Sale de España en compañía del conde de Campo Alange y viaja por Portugal, Inglaterra, Bélgica y Francia. Conoce a las principales figuras de la época. Trata en París a Víctor Hugo y Alejandro Dumas. Traduce al francés «Macías» y escribe, para una colección europea, un «Viaje pintoresco por España». Según Azorín, recibió por ello tres mil francos. Regresa a España y reanuda sus colaboraciones en los periódicos. Entra en la redacción de «El Español» y publica en «El Observador». Colección de artículos de los años 32, 33 y 34; hace él el prólogo.

La guerra civil española escandaliza a Europa.

Martínez de la Rosa clausura las Cortes y deja el poder al conde de Toreno. «La España —escribe Larra— está acribillada de abusos civiles, judiciales, burocráticos, de toda especie». Su juicio sobre Toreno: no es hombre de revolución, sóbrale escepticismo. A Toreno sucede este año Mendizábal, más liberal. Desamortización, libertad de prensa, disolución de órdenes religiosas. Larra decide presentarse a diputado, abandonando sus ideas liberales radicales. Es el pacto con el poder y la creencia de que se puede hacer una revolución liberal con la Monarquía.

1836. Larra —traduce y prologa «El dogma de los hombres libres», de Lamennais— colabora en «El Mundo» y «El Redactor General» por cuarenta mil reales al año. Ha de escribir doce artículos al mes. Traduce y revisa «La España desde Fernando VII hasta Mendizábal», de Charles Didier.

Políticamente Larra abandona a los liberales exaltados y se presenta a las elecciones. Destacados liberales traicionan a Mendizábal y éste presenta la dimisión del gobierno. Le sucede Francisco Xavier de Istúriz, moderado. Larra, aprovechando la amistad con el ministro de Gobernación, el duque de Rivas, intriga para conseguir el acta por Avila. «Como «Fígaro» carece de toda fe política, lo mismo le da esto que lo otro. La cuestión es llegar a procurador...», escribe hostilmente Almagro de San Martín. Larra consigue el acta, por gran mayoría, en agosto. Pero Larra será diputado doce días justos. Juega mal su cálculo político: los liberales radicales, abandonados por él, ocupan el poder gracias a la rebelión de los sargentos de La Granja, el 12 de agosto. Una comisión de tres sargentos exige a la Reina el restablecimiento de la verdadera Constitución liberal, la del 12. Bajo la coacción de las tropas amotinadas, Doña María Cristina dice: «Yo, como Reina gobernadora de España, ordeno y mando que se publique la Constitución de 1812 en el interior; que, reunida la nación en Cortes, manifieste expresamente su voluntad o se dé otra Constitución, según las necesidades de la misma.» Se anulan las elecciones de agosto. Queda invalidada el acta de Larra.

Larra entra en una depresión romántica. Este año publica un tremendo artículo, «La Nochebuena de 1836, Yo y mi criado», en el que dice: «En cada artículo entierro una esperanza o una ilusión.» Y también: «Un novio que no ve el logro de su esperanza, ese novio es el pueblo español; no se casa con un solo gobierno con quien no tenga que reñir al día siguiente.» Pero aún más tremendo es su artículo dedicado al día de Difuntos de este año: «Todo Madrid, toda España, es un cementerio.»

1837. Publica su artículo, amargo, sarcástico, «Fígaro al estudiante»: «Media España anda todo el día ocupada en convencer a la otra media. Sin ir más lejos, ahí tiene usted al gobierno, que son seis nada menos, empeñados en convencernos a todos de que ellos son los únicos que saben mandar, y a los periodistas, que somos más de seiscientos, empeñados en convencerlos de que cualquiera de nosotros lo haría mejor; y ni ellos convencen a nadie ni nosotros a ellos.»

El domingo 15 de enero publica una necrología dedicada a su amigo el conde de Campo Alange, muerto en la guerra civil, al lado de los constitucionalistas. Larra le considera un héroe de la libertad. «Liberal, no era vocinglero; literato, no era pedante; escritor, la razón y la imparcialidad presidían sus escritos. ¡Qué papel podía haber hecho en tal caso y degradación!»

Tras cinco años de relaciones, Larra no puede evitar la ruptura con Dolores Armijo. Suena un disparo...

Ante el cadáver de Larra, España ensaya otra constitución. Pero existe una incapacidad en el sistema para gobernar con un parlamento libre. Se prepara la revolución de 1840. La Reina será expulsada de España.

Larra, muerto, oía todavía a España.

BIBLIOGRAFIA

1. OBRAS DE MARIANO JOSE DE LARRA

a) TEATRO

No más mostrador, comedia original en cinco actos y en prosa.

Roberto Dillon o el católico de Irlanda, melodrama de grande espectáculo en tres actos y en prosa.

Don Juan de Austria o la vocación, comedia en cinco actos y en prosa.

El arte de conspirar, comedia en cinco actos y en prosa.

Un desafío, drama en tres actos y en prosa.

Macías, drama histórico en cuatro actos y en verso.

Felipe, comedia en dos actos y en prosa.

Partir a tiempo, comedia en un acto y en prosa.

¡Tu amor o la muerte!, comedia en un acto y en prosa.

El conde Fernán González y la exención de Castilla, drama histórico original en cinco actos y en verso.

b) NOVELA

El doncel de Don Enrique el Doliente, historia caballeresca del siglo xv, en cuarenta capítulos.

En «El Pobrecito Hablador»:

«¿Quién es el público y dónde se encuentra?».
«Sátira contra los vicios de la Corte» (artículo enteramente nuestro).
«Carta a Andrés».
«Empeños y desempeños».
«Sátira contra los malos versos de circunstancias».
«Teatros. ¿Quién es por acá el autor de una comedia?».
«Filología».
«Manía de citas y de epígrafes».
«Carta segunda escrita a Andrés».
«El casarse pronto y mal».
«El castellano viejo».
«Reflexiones acerca del modo de resucitar el Teatro español».
«Teatros».
«Carta de Andrés Niporesas al Bachiller».
«Muerte del Pobrecito Hablador».
«Carta panegírica de Andrés Niporesas».

En «El Duende Satírico del Día» y en periódicos y revistas de la época:

«Yo quiero ser cómico».
«Ya soy redactor».
«D. Cándido Buenafé o el camino de la gloria».
«En este país».
«Don Timoteo o el literato».
«La polémica literaria».
«La fonda nueva».
«Las casas nuevas».

«Varios caracteres».

«Nadie pase sin hablar con el portero, o los viajeros en Vitoria».

«La planta nueva o el faccioso».

«La Junta de Castel-o-branco».

«Las circunstancias».

«Los tres no son más que dos, y el que no es nada vale por tres».

«El siglo en blanco».

«El hombre pone y Dios dispone, o lo que ha de ser el periodista».

«Las palabras».

«Jardines públicos».

«Carta de Fígaro a un bachiller».

«Segunda y última carta de Fígaro al Bachiller».

«Modas».

«La gran verdad descubierta».

«El ministerial».

«Segunda carta de un liberal de acá a un liberal de allá».

«Primera contestación de un liberal de allá a un liberal de acá.»

«La cuestión transparente».

«¿Entre qué gente estamos?».

«Dos liberales o lo que es entenderse» (dos artículos).

«La vida de Madrid».

«Baile de máscaras».

«La calamidad europea».

«Tercera carta de un liberal de acá a un liberal de allá».

«Lo que no se puede decir, no se debe decir».

«Revista del año 1834».

«La sociedad».

«Un periódico nuevo».

«La policía».

«Por ahora».

«Carta de Fígaro a su antiguo corresponsal».

«El hombre-globo».

«La alabanza, o que me prohíban éste».

«Un reo de muerte».

«Una primera representación».

«La diligencia».

«El duelo».

«El álbum».

«Los calaveras» (dos artículos).

«Modos de vivir que no dan para vivir».

«La caza».

«Impresiones de un viaje».

«Cuasi (pesadilla política)».

«Las antigüedades de Mérida» (dos artículos).

«Fígaro de vuelta. Carta a un amigo residente en París».

«Buenas noches» (segunda carta).

«Dios nos asista» (tercera carta).

«Literatura».

«Yo quiero ser cómico».

«De la sátira y de los satíricos».

«De las traducciones».

«Los barateros o el desafío y la pena de muerte».

«Fígaro al director de "El Español"».

«El día de difuntos de 1836».

«Fígaro dado al mundo».

«Horas de invierno».

«La Nochebuena de 1836».

«Fígaro a los redactores del "Mundo"».

«Fígaro al estudiante».

«Ni por esas» (verdadera contestación de Andrés a «Fígaro»).

«Vindicación» (contestación a una acusación de plagio).

d) CRÍTICA TEATRAL

Una comedia moderna («Treinta años, o La vida de un jugador»).

«Don Quijote de la Mancha en Sierra Morena».

«Los celos infundados, o el marido en la chimenea».

«La extranjera».

«Gabriela de Vergi».

«El testamento».

«A cada paso un ocaso, o El Caballero».

«Pelayo».

«Contigo pan y cebolla».

«Un tercero en discordia».

«La mojigata».

«El sí de las niñas».

«Hernán Pérez del Pulgar, el de las hazañas».

«Un novio para la niña, o La casa de huéspedes».

«La niña en casa y la madre en la máscara».

«La conjuración de Venecia».

«Teresa».

«El trovador».

«Anthony».

«Los amantes de Teruel».

«La fonda, o La prisión de Rochester» y «Las aceitunas, o Una desgracia de Federico II».

«Numancia».

«Tanto vales cuanto tienes»

«García de Castilla, o El triunfo del amor filial».

«Las fronteras de Saboya, o El marido de tres mujeres» y «El último bofon».

«Catalina Howard».

«Aben-Humeya».

«Hernani, o El honor castellano».

«Margarita de Borgoña».

«Felipe II».

«Todo por mi padre».

«Las capas».

«La muerte de Torrijos».

«Está loca».

«Hacerse amar con peluca».

«El espía».

«La venganza sin castigo».

«La vuelta de Estanislao, o Continuación de Miguel y Cristina».

«Luisa, o El desagravio».

«No más muchachos».

«María, o La niña abandonada».

«Los dos hermanos a la prueba».

«La nieve».

«Miguel y Cristina». «La familia del boticario». «El califa de Bagdad».

«El expósito de Londres».

«Lisonja a todos».

«La amnistía, o El granadero generoso». «La una y media».

«Copiar del hombre para mejorarle, o El casamiento de Molière».

«La loca fingida».

«Las cuatro naciones, o La viudad sutil». «Amor y muerte, o Don Bernardino en el ensayo».

«Siempre».

«El colegio de Tonnington».

«Parisina».

«Julia».

«Juez y reo de su causa, o Don Jaime el justiciero».

«La huérfana de Bruselas».

«Ni el tío ni el sobrino».

«El verdugo de Amsterdam».

«Ingenio y virtud, o El seductor confundido».

«Ana Bolena».

«El furioso Nell Isola di S. Domingo».

«Norma».

«La sonámbula».
«La Strainera».
«El vampiro».
«El diplomático».
«El regreso del prisionero».
«Un bofetón».
«La redacción de un periódico».

e) TRADUCCIONES

El dogma de los hombres libres (Palabras de un creyente), de M. F. Lamennais, con prólogo de Larra.

De 1830 a 1836, o La España desde Fernando VIII hasta Mendizábal, de Charles Didier.

f) POESÍA

Oda al terremoto de 1829.
Octava con motivo de hallarse encinta Doña María Cristina de Borbón.
Al día 1.º de mayo.
Al Excmo. Sr. D. Manuel Varela.
Romance al Excmo. Sr. Duque de Frías, pidiéndole sea padrino de su boda.
Epigrama al esposo de Doña Mariquita Zavala...
Soneto a un mal artista.
Epigrama repentido a un clavel improvisado.
Epigrama a un mal poema titulado «Las miserias del hombre».
Soneto al concierto dado por las bellas de Mantua en la platería de Martínez, para socorro de los desgraciados del terremoto.
Letrillas, anacreónticas, odas.

g) CRÍTICA LITERARIA

Espagne Poetique.
Panoramas matritenses (dos artículos).
La satiricomanía.
Poesías de D. Francisco Martínez de la Rosa.
Discurso sobre el influjo que ha tenido la crítica moderna sobre la decadencia del teatro antiguo español.
Memorias originales del Príncipe de la Paz.

h) ENSAYOS

Ateneo científico y literario de Madrid.

2. OBRAS SOBRE MARIANO JOSE DE LARRA

OBRAS COMPLETAS DE D. MARIANO JOSÉ DE LARRA («FÍGARO») (con prólogo biográfico de Cortés).—Montaner y Simón Editores.—Barcelona, 1886.

AZORÍN: *Rivas y Larra.*—Colección Austral, Espasa Calpe, 1957.

«*Larra*», en *Páginas escogidas,* Calleja, 1917.

MELCHOR DE ALMAGRO SAN MARTÍN: *Mariano José de Larra tal como realmente fue; su tiempo y su obra,* Prólogo a la recopilación de sus *Artículos completos,* Aguilar, Madrid, 1944.

E. GIMÉNEZ CABALLERO: *Ante la tumba de Larra* («El Robinson Literario»), Madrid, 1931.
Síntesis de lengua y literatura de la hispanidad.

172

La prosa doctrinal española en el s. XIX. Periodismo, Madrid, 1944.

E. COTARELO: *Post-Fígaro*, Ed. Renovación, 1918.

JUAN APARICIO: «Nuestro Fígaro», en *Españoles con clave*, Caralt, Barcelona, 1945.

MENÉNDEZ Y PELAYO: *Estudios y discursos de crítica histórica y literaria.*—Tomo VII.—«La historia externa e interna de España en la primera mitad del siglo XIX.—Consejo Superior de Investigaciones Científicas, 1942.

J. M. VILLERGAS: *Los misterios de Madrid.*—Tomo III, capítulo XXI: «Fígaro».—Imprenta del Siglo.— Madrid, 1845.

RAMÓN GÓMEZ DE LA SERNA: *Pombo*, Ed. Juventud, 1960.

FRANCISCO UMBRAL: *Larra. Anatomía de un dandy*, Ediciones Alfaguara, Madrid, 1965.

LARRA: *En este país y otros artículos.*—Edición y prólogo de Jorge Campos, Alianza Editorial, Madrid, 1967.
Larra, primer periodista de humor, Capítulo del libro «Teoría e interpretación del humor español», E. Nacional, 1966.

INDICE DE NOMBRES

INDICE GENERAL

TITULOS PUBLICADOS EN ESTA COLECCION

Precio del ejemplar: 50 ptas.

PROXIMOS TITULOS:

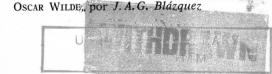